Sem medo de vencer

Ser

Editora Gente

Sem medo

de vencer

Roberto Shinyashiki

Edição especial

Editora
Rosely M. Boschini

Supervisão editorial
Mauro Silveira

Preparação
Maria Alayde Carvalho

Revisão
Jô de Melo
Márcio Guimarães

Projeto gráfico e produção
Marcelo S. Almeida

Capa
Túlio Fagim

Diagramação
Editora Gente

Impressão e acabamento
Sermograf

Rua Pedro Soares de Almeida, 114
São Paulo, SP CEP 05029-030
Tel: (11) 3670-2500
Site: http://www.editoragente.com.br
E-mail: gente@editoragente.com.br

Dados Internacionais de Catalogação na Publicação (CIP)
(Câmara Brasileira do Livro, SP, Brasil)

Shinyashiki, Roberto T., 1952
Sem medo de vencer / Roberto Shinyashiki. — São Paulo : Editora Gente, 1993 (1ª ed.); 2005 (ed. especial).

ISBN 85-7312-457-1

1. Autoconhecimento 2. O eu 3. Felicidade 4. Meditação 5. Psicologia aplicada

93-1225 CDD-158.1

Índices para catálogo sistemático:

1. Autoconhecimento : Psicologia aplicada 158.1
2. O eu : Desenvolvimento : Psicologia aplicada 158.1

Vencer não é competir com o outro.

É derrotar seus inimigos interiores.

É a própria realização do ser.

Sumário

Introdução

No início de 2005, mais uma vez eu estava na Índia, como faço quase todos os anos, em minha viagem de crescimento espiritual. Desta vez, porém, o ambiente estava diferente. O país vivia a comoção da tragédia do *tsunami,* a onda gigante que provocara a morte de centenas de milhares de pessoas na Ásia e na África no fim do ano anterior, uma das maiores catástrofes naturais do mundo moderno.

Nos centros de meditação, onde se encontram viajantes do mundo inteiro, as histórias de dor e sofrimento estavam presentes em cada conversa. Pessoas que chegavam do sul da Índia falavam das desgraças que haviam acontecido naquela região. Um médico do Sri Lanka me contou cenas impressionantes. Amigos que vinham de outros países relatavam histórias de desespero. Quando eu tinha a oportunidade de conversar com alguém que vivera a tragédia, percebia que essas pessoas continuavam em estado de choque, sem poder se esquecer das cenas que testemunharam.

Uma das histórias que mais me impressionaram foi publicada em um jornal alternativo. A reportagem falava de um turista brasileiro que estava em dúvida se ia ou não fazer um passeio de barco, mas, depois de pensar bem, decidiu ir para o mar. Enquanto navegava ao lado de outros turistas numa embarcação segura, ele aproveitava para apreciar o belo azul do mar e o céu quase sem nuvens. De repente, uma onda enorme quase virou o barco. Alguns minutos depois, essa onda, que fora na direção da praia, voltava para alto-mar com força muito maior, exigindo do comandante uma manobra habilidosa para minimizar o impacto e evitar o naufrágio do barco. Preocupados, os tripulantes decidiram interromper o passeio e regressar imediatamente à terra firme. Enquanto voltavam, perceberam que havia algo errado: o mar estava muito sujo, pedaços de madeira, troncos de árvores e restos de comida flutuavam e, mais à frente, a imagem terrível de corpos que boiavam sobre as águas.

Um mês depois da tragédia, milhares de pessoas continuavam desaparecidas e seus parentes vagavam em meio aos escombros. Ver todo aquele sofrimento foi algo que me tocou profundamente. Eu me senti impelido a fazer alguma coisa além de apenas ficar ali, sofrendo aquela dor. Decidi ir a uma das regiões afetadas para ajudar. Ainda estava indeciso sobre o local quando assisti a uma gravação amadora que um australiano nos mostrou. Eram cenas de crianças que brincavam na praia até que, de repente, uma onda gigantesca apareceu por trás delas. Pude ver o desespero tomar conta dos seus olhos. Tentaram sair correndo, mas a onda foi mais rápida que elas...

Descobri que aquilo tinha acontecido na ilha de Phuket, na Tailândia. Não pensei duas vezes: arrumei minhas coisas e fui para lá. A Tailândia é um país muito especial apesar do absurdo turismo sexual e do fato de alguns nativos inescrupulosos procurarem explorar os estrangeiros. É um dos melhores lugares do mundo para conhecer. As pessoas são muito amáveis e bonitas, estão sempre dispostas a ajudar. Fiquei um dia e meio em Bangkok, uma cidade moderna que mantém a tradição dos antigos templos budistas. E Phuket era um paraíso turístico que se transformara em pesadelo para mais de 7 mil pessoas.

Quando disse que estava a caminho de lá, várias pessoas procuraram fazer com que eu desistisse da idéia. Afirmavam que seria muito perigoso, pois ainda havia muitas almas procurando por um corpo e o sofrimento permanecia no lugar. Chegar a Phuket depois de ouvir as histórias do *tsunami* foi, no mínimo, estranho. Olhando as praias pela janela do avião era difícil imaginar que aquele mar tão transparente e tranqüilo criara ondas que causaram tanta destruição.

No aeroporto, enquanto eu esperava a bagagem, estava ansioso por saber das pessoas e de como estariam reagindo à catástrofe que se abatera sobre elas. Conversei com alguns policiais que atendiam aos turistas, mas percebi que não estavam muitos dispostos a falar sobre o acontecido. Deram-me indicações de lugares para visitar e de entidades que poderia procurar e em seguida me olharam com uma expressão que demonstrava que a conversa tinha terminado.

Quando cheguei ao hotel onde ficaria hospedado eu me dei conta de que era o mesmo que aparecia nos telejornais de todo o mundo invadido pelas águas e destruído... Agora, porém, estava sendo reconstruído e já funcionava razoavelmente bem.

Conversando com algumas pessoas, percebi que não queriam falar sobre o *tsunami*. Era como se houvesse um acordo para não tocar no assunto. Mas descobri que, antes de a onda mortal chegar, o mar se afastou da praia por quase um quilômetro. Os nativos aproveitaram para pegar os peixes que ficaram na areia enquanto os turistas chamavam os filhos para mostrar esses mesmos peixes, que se debatiam. Infelizmente, esse gesto representou o fim para muitos deles.

A tragédia, porém, não terminou ali. Enquanto todos lutavam para cuidar dos feridos, outra onda, ainda mais forte e destrutiva, apareceu.

O rapaz da recepção me contou em detalhes a destruição do hotel, o trabalho que tinham para reconstruí-lo e, principalmente, o orgulho pelo fato de já estar em funcionamento.

Saí para jantar e pude ver o estrago feito na cidade. Casas destruídas, jardins totalmente arrasados, centenas de árvores arrancadas do chão. Mas também vi que a lama já havia sido retirada e certa limpeza reinava na cidade. Apesar de algumas paredes rachadas, os restaurantes estavam funcionando, embora precariamente. Havia avisos nas portas pedindo desculpas por não poderem oferecer a qualidade de sempre.

Descobri que naquela noite haveria um show organizado pela MTV tailandesa com os artistas mais importantes do país, que tocariam clássicos do rock. Sua renda seria destinada às vítimas do *tsunami* e à reconstrução da região. Em redor do local, as organizações que estavam promovendo o evento montaram barracas para vender comida, artesanato e muitos brinquedos. Havia, portanto, um grande mutirão pela vida.

O objetivo oficial do show era arrecadar fundos para ajudar as vítimas e reconstruir a cidade, mas o maior resultado foi mostrar para todos a força de um povo quando se une em torno de um objetivo comum.

Conheci o vice-prefeito da cidade quase por acaso. Ele me mostrou pessoalmente todo o trabalho de reconstrução que vinha sendo feito. O plano emergencial, traçado rapidamente, era fantástico. Nos primeiros dias a prioridade foi salvar vidas. As companhias aéreas tailandesas, por exemplo, uniram-se para transportar gratuitamente de volta para casa os turistas estrangeiros que estavam na região. Só depois que todas as possibilidades de encontrar mais feridos se esgotaram é que todos se voltaram para a reconstrução. E a mobilização foi total!

No dia seguinte visitei sozinho as áreas mais atingidas e ouvi histórias de heroísmo e grandeza. Conheci muitas pessoas especiais e vi como se empenharam em reconstruir sua vida e o lugar.

Nessa noite fui a um espetáculo baseado nas tradições da Tailândia em que se apresentaram artistas maravilhosos, dançarinos fantásticos, músicos talentosos e dezenas de elefantes e tigres amestrados. O único detalhe que fazia com que os presentes se lembrassem da tragédia era o público. Em um imenso teatro para milhares de espectadores havia cerca de duzentas pessoas. Comecei a pensar no prejuízo com que aquele espetáculo teria de arcar, mas o agente da empresa que coordenava o evento me informou que os proprietários do negócio, os artistas, os funcionários em geral e os fornecedores haviam decidido assumir parte desse prejuízo. A perda maior, segundo ele, ocorreria se todos se deixassem levar pelo desespero.

No terceiro dia em Phuket, decidi perguntar ao vice-prefeito o que poderia fazer para ajudar na reconstrução da cidade. Pensava em trabalhar como médico ou algo parecido. Ele me olhou firmemente nos olhos e disse: "Nós estamos trabalhando e fazendo o possível. Se você quiser nos ajudar, procure sempre falar da beleza deste lugar a todas as pessoas que encontrar. Conte como estamos lutando para reconstruir nossa vida".

Os tailandeses haviam arregaçado as mangas e começado a reconstruir sua vida e suas cidades. Não perderam tempo nem deixaram que a dor e o medo os impedissem de enfrentar a tragédia. A vida seguia seu curso e era necessário preparar-se para vivê-la. A atitude das pessoas era muito diferente do que eu tinha visto na Índia, onde a população se deixara levar pela dor e demorava muito para começar o trabalho de reconstrução. Quem poderia superar essa tragédia mais depressa e com mais eficiência? Exatamente: as pessoas que não estavam desesperadas por ter de recomeçar.

Durante a viagem de volta ao Brasil, fiquei pensando na diferença de atitude entre os dois povos. De um lado, os indianos, que choraram muito e deixaram que a dor paralisasse suas ações. De outro, os tailandeses, que também choraram muito, mas concentraram toda a sua energia na reconstrução das áreas afetadas. Quero deixar claro que não me sinto em posição de julgar o sofrimento de ninguém. Somente quem vive a dor pode dizer o que se passa dentro de seu coração. Faço minha análise levando em conta apenas as reações dos habitantes dos dois países. Dentro dessa lógica, eu me perguntei por que razão os tailandeses reagiram com tanta rapidez ao seu drama, enquanto os indianos adotaram uma postura mais passiva.

Comecei então a pensar nas inúmeras pessoas que permitem que os problemas paralisem sua vida — ao mesmo tempo que outras fazem dos dramas pessoais um trampolim para conquistar um nível de vida mais elevado.

Lembrei-me do exemplo do papa João Paulo II, que carregou sua missão em meio a tanta dor. Fiquei impressionado com a forma como encarou a doença. Nos piores dias, aparecia em público curvado, quase sem conseguir falar nem levantar os braços para abençoar os fiéis que o aguardavam na Praça de São Pedro. João Paulo II não teve medo de expor sua doença publicamente. Não teve medo de se mostrar frágil, como qualquer outro ser humano. Não teve medo da própria morte quando anunciou ao mundo: "Estou pronto". Deixou-nos como legado a magnitude de sua obra. Restabeleceu o diálogo com outras religiões, como o islamismo, pediu desculpas publicamente pela omissão da Igreja Católica durante o martírio do povo judeu na Segunda Guerra Mundial, viajou pelo mundo levando a palavra de Deus a milhões de pessoas. João Paulo II jamais teve medo de vencer. E venceu. Entra para a História como um dos papas de maior influência de todos os tempos.

Lembrei-me também do jogador de futebol Ronaldinho, o Fenômeno. Quando sofreu a misteriosa convulsão no dia da final da Copa do Mundo de 1998, na França, não faltaram críticos que dissessem que ele tinha "amarelado" ou "tremido na base". O medo de enfrentar a França naquela final teria, segundo a percepção dessas pessoas, derrotado o craque. Afinal, os brasileiros depositavam em seus pés todas as esperanças de vitória e conquista da Copa. Para piorar a situação, sofreu depois uma cirurgia no joelho. Quando retornou, machucou-se novamente durante um jogo. Até hoje, quando assisto a essa cena, fico arrepiado ao ver seu sofrimento. Todo o estádio acompanhou sua dor e seu desespero. Foi operado pela segunda vez, ficou afastado por quase dois anos e os críticos o consideraram acabado para o futebol.

Grandes especialistas em medicina esportiva anunciaram o fim de sua carreira. O técnico de seu clube, após a liberação do craque pelo departamento médico, insistia em deixá-lo fora dos jogos. Parecia que ninguém acreditava que ele poderia voltar a jogar como antes. Ninguém. Com exceção dele mesmo e de Luís Felipe Scolari, o técnico da seleção que disputou a Copa de 2002. Mesmo sem estar em perfeitas condições técnicas e físicas, Ronaldinho acabou sendo convocado. Foi uma aposta de Felipão. Ele estreou no Mundial e conseguiu, aos poucos, reencontrar seu grande futebol. Na final, fez os dois gols que deram o pentacampeonato ao Brasil. Ronaldinho e Felipão nunca duvidaram de que seria assim. Não tiveram medo de acreditar e trabalhar pesado para que os resultados mostrassem sua força.

Pela milésima vez em minha vida, fiquei pensando na razão de tantas pessoas se deixarem abater pelas dificuldades e se tornarem presas fáceis do desânimo, enquanto outras utilizam seus problemas para buscar energia e dar a volta por cima. Refleti sobre os caminhos que elas trilham para se tornar vencedoras ou perdedoras...

Foi pensando em todas essas pessoas que surgiu meu desejo de escrever sobre o tema. Quando cheguei ao Brasil, conversei com minha editora, Rosely Boschini, e ela me lembrou: "Você já escreveu esse livro. É o *Sem Medo de Vencer*. Por que não acrescenta essas novas idéias e fazemos uma edição especial?"

Bem, é esta edição especial que dedico exclusivamente a você, que quer ser um exemplo de luz no meio da escuridão na qual muitas pessoas vivem.

Que quer ser um exemplo de fé, quando existem tantas pessoas desanimadas.

Que quer ser um exemplo de determinação num mundo onde há tanta gente que abandona seus sonhos.

Retomar este livro é uma maneira de homenagear todos os vencedores que têm me inspirado e me ajudado a ser uma pessoa melhor. São pessoas especiais que souberam avançar além dos limites. Pessoas que souberam transformar todas as profecias negativas em estímulo para a luta.

Com o carinho de sempre,

ROBERTO SHINYASHIKI

Sonhos de ontem, de hoje e de amanhã

Este é um livro sobre a realização de sonhos.

Todos nós, na infância, na adolescência, na idade adulta e até mesmo na velhice, temos sonhos e planos. A criança sonha ter brinquedos novos, pais mais presentes e amigos em quem possa confiar. O adolescente deseja independência e também conhecer o mundo. O adulto sonha com uma vida plena, estabilidade financeira, uma família feliz. E o idoso quer ter o orgulho de olhar para trás e dizer que fez o melhor por aqueles a quem tanto ama. Deseja, sempre que possível, reuni-los em sua volta e curtir a vida com mais tranqüilidade.

Esses desejos formam o motor que nos impulsiona a viver. Como você pode ver, à medida que o tempo vai passando os sonhos mudam. O que hoje é seu maior desejo amanhã pode se transformar em algo que não o estimule tanto. É nisso que reside toda a magia da vida. A cada novo sonho que passamos a ter, renovamos nossas energias para buscar sua realização. E assim seguimos nossa jornada, sempre em busca de novas conquistas.

São os sonhos renovados que transformam o mundo. Se os sonhos não se transformassem em novos sonhos, ainda estaríamos usando o cavalo como meio de transporte, escreveríamos tudo à mão e enviaríamos sinais de fumaça para nos comunicar em vez de usar *e-mails*. Poderíamos ter ficado satisfeitos com os equipamentos antigos, que cumpriam bem sua função, não é mesmo? Mas eles podiam ser aperfeiçoados. E essa transformação só foi possível porque alguém sonhou com ela.

Quando você era criança, provavelmente dizia a seus pais o que gostaria de ser quando crescesse. Essa é uma brincadeira que os pais costumam ouvir com atenção para ver se descobrem alguma vocação precoce nos filhos. Há crianças que querem ser aeromoças, professoras ou policiais. No futuro, quando chegam à idade adulta, algumas mantêm esses desejos, enquanto outras mudam e se tornam arquitetas, cientistas ou advogadas. À medida que cresce, a criança descobre que existem outras profissões, percebe que possui talentos que não sabia ter e que pode mudar o que planejara inicialmente.

O problema, contudo, é que muitas pessoas abandonam seus projetos quando encontram dificuldades para realizá-los. Infelizmente, aceitam as limitações que surgem pelo caminho e levam uma vida abaixo de suas possibilidades e expectativas.

Trabalham em empregos que não as motivam e exercem profissões para as quais não têm vocação. Estão sempre angustiadas e deprimidas, vivem num tédio interminável.

Chega o momento em que se perguntam:

Viver é só isso?

Amar é só isso mesmo?

Sentem como se tivessem sido enganadas pela promessa de vida que não se realizou.

É claro que surgirão obstáculos ao longo de nossa jornada. Mas eles não podem impedir que você se sinta realizado em seus projetos. Cá entre nós: o mundo de sonhos cor-de-rosa, que aparece nos contos de fadas ou nos filmes de Hollywood, não tem nada a ver com a realidade do dia-a-dia. Isso não quer dizer, no entanto, que o fracasso existencial seja o destino inevitável do ser humano. Entre o sonho cor-de-rosa e o fracasso inevitável, há outro caminho, o da realização. Você pode trilhá-lo e ter aquela gostosa sensação, após um dia de trabalho intenso, de que viver vale a pena, de que seu esforço no escritório não tinha como finalidade simplesmente ganhar dinheiro para pagar as contas.

O ser humano tem direito a uma vida de alegrias. Ele só vai conseguir alcançá-la se souber definir seus objetivos e acreditar em sua capacidade de atingi-los. Isso significa ter consciência de que, para atingir os objetivos realmente importantes, é preciso desenvolver a capacidade de batalhar e realizá-los. Não adianta lamentar-se por não conseguir encontrar a pessoa amada ou não conquistar o emprego dos seus sonhos. O que você tem feito de concreto para que seus sonhos se realizem?

Tenho ouvido muita gente dizer que o ser humano precisa se adaptar à realidade. Você deve conhecer a expressão "cair na real". Geralmente, seu significado é: "Você precisa se adaptar a uma vida pobre".

Pobre de amor.

Pobre de sucesso.

Pobre de amigos.

Você tem o direito de criar seu mundo da forma como acredita que ele deve ser. Esse é seu maior poder: determinar como será sua vida.

Eu gostaria que sempre tivesse em mente que sua vida está do jeito que está por uma simples razão: você tem trabalhado para que ela seja dessa maneira. Pode não ter percebido isso, mas é a mais pura verdade.

Ao lado do sítio de minha família, em Itapecerica da Serra, cidade próxima à capital paulista, há dois lavradores que plantam as mesmas coisas: milho e feijão.

O primeiro gosta mais de feijão. Por esse motivo, sua plantação de feijão cresce bonita e a colheita é farta. Mas, como ele não gosta de milho, não cuida bem dessa outra plantação. Deixa o mato crescer, esquece-se de adubá-la. Ele tem certeza de que sua terra é boa para feijão e ruim para milho.

Já o vizinho do lado adora milho. Seu milharal é lindo e farto, ao contrário de sua plantação de feijão, sempre feia, abandonada e improdutiva. "Essa terra é boa para milho, não para feijão", afirma com toda a segurança.

Assim são as pessoas: algumas adoram o sucesso, cuidam de suas habilidades, adubam sua capacidade e colhem muitas realizações. Elas sabem que os fracassos existem, mas não alcançam sua lavoura.

Outras cultivam os fracassos. Procuram obstáculos, valorizam as dificuldades, adubam suas limitações. Arrumam desculpas e colhem insucessos gloriosos. Sabem que existem sucessos, mas eles também não alcançam sua lavoura.

O que as pessoas colhem como resultado de seus esforços é conseqüência das metas que traçaram, de sua dedicação e, principalmente, de sua capacidade de atingi-las.

Se sua vida não está acontecendo do jeito que você gostaria, este é o momento de parar e analisar se você prefere reclamar dos obstáculos a realizar seus projetos. O objetivo deste livro é ajudar você a estabelecer metas e a realizá-las e, mais do que tudo, auxiliá-lo a conectar-se com seu poder criador e escrever sua história.

Tenha uma colheita vitoriosa.

Vencedores e perdedores

É muito importante tomar cuidado com essas duas palavras. Para mim, vencedor não é aquela pessoa que ganha todas as disputas de sua vida. Essa obsessão de ganhar sempre tem criado a louca necessidade de vencer a qualquer preço. Vemos pessoas talentosas que se destroem por não saber aguardar o tempo necessário para que seu trabalho frutifique. Vemos pessoas que vendem a alma ao diabo (que pode ser um chefe tirano, uma empresa sem ética, um trabalho sem prazer...) para conquistar um lugar ao sol. Triste ilusão. Essa cobiça desmedida é um atalho para o fracasso.

Você tem o direito de construir seu sucesso respeitando seus valores. Nunca abandone seus princípios para realizar uma meta. Não se engane: esse tipo de vitória é artificial. É como um castelo de cartas, que pode desmoronar a qualquer momento por causa de uma simples brisa. Por isso o segredo das grandes árvores é ter raízes fortes.

Lembre-se: há derrotas que criam o sucesso e vitórias que criam o fracasso. As lições que tiramos dos tropeços são um verdadeiro tesouro para futuros triunfos.

Na carreira de um campeão sempre existem derrotas. Seu segredo é justamente tirar dali as lições para crescer. Já na carreira de um fracassado há algumas vitórias, que ele usa para se iludir. Você não deve se interessar pelo sucesso passageiro, e sim por aquele que é criado sobre uma base sólida.

Na verdade, se você fizer uma análise cuidadosa do mundo em sua volta, perceberá que, na vida, ninguém é 100% perdedor nem 100% vencedor. A verdade é que, em determinados momentos, a vitória nos sorri — e em outros não. É simples assim. Se você sofreu uma derrota hoje e aprendeu suas lições certamente terá um triunfo amanhã.

Ser um vencedor é ter a coragem de enfrentar os próprios medos e fantasmas. Ser um perdedor é viver em um mundo de ilusões, esperando que os outros se responsabilizem por suas dificuldades e culpando todos por seu fracasso.

Ser um vencedor é assumir a responsabilidade nas derrotas e nas vitórias. É ter a coragem de se olhar no espelho e se perceber dono de suas ações e de seus resultados.

A história de Sísifo

Um dos personagens mais interessantes da mitologia grega é Sísifo, rei de Corinto. Era considerado o mais esperto entre os homens. Apesar de toda a sua astúcia, ou talvez justamente por causa dela, sempre se via diante das situações mais complicadas. Cada esperteza criava novas dificuldades, que por sua vez pediam novos estratagemas, numa eterna sucessão de saídas provisórias.

Certa vez, Sísifo descobriu por acaso que Zeus havia raptado Egina, filha de Asopo, deus dos rios. Como faltava água em suas terras, Sísifo teve a idéia de revelar a Asopo o paradeiro da filha desde que lhe desse em troca uma nascente. O pai, desesperado, aceitou de bom grado a proposta. Deu a Sísifo a nascente e soube que sua filha fora raptada por Zeus.

Sísifo conseguiu a água, mas arrumou outro problema: Zeus ficou furioso com a delação e mandou a Morte buscá-lo.

Confiando na própria astúcia, Sísifo recebeu a Morte e começou a conversar. Elogiou sua beleza e pediu-lhe para deixá-lo enfeitar seu pescoço com um colar. O colar, na verdade, não passava de uma coleira com a qual Sísifo manteve a Morte aprisionada e conseguiu driblar seu destino.

Durante algum tempo, não morreu mais ninguém. Sísifo soube enganar a Morte, mas provocou novas encrencas. Desta vez com Hades, deus das almas e do inconsciente, e com Ares, deus da guerra, que precisava dos préstimos da Morte para consumar as batalhas.

Tão logo teve conhecimento do acontecido, Hades libertou a Morte e lhe ordenou que trouxesse Sísifo imediatamente para os Infernos. Quando Sísifo se despediu da mulher, teve o cuidado de lhe pedir secretamente que não enterrasse seu corpo.

Já nos Infernos, Sísifo reclamou com Hades da falta de respeito de sua esposa por não enterrar seu corpo. Então suplicou que lhe desse um dia antes de sua morte para que pudesse se vingar da mulher ingrata e cumprir os rituais fúnebres. Hades lhe concedeu esse pedido. Sísifo retomou então seu corpo e fugiu com a esposa. Havia enganado a Morte pela segunda vez.

Viveu muitos anos escondido até que finalmente morreu. Quando Hades o viu, reservou-lhe um castigo especial. Sísifo foi condenado a empurrar uma enorme pedra até o alto de uma montanha. Antes de chegar ao topo, porém, a pedra rolava para baixo, obrigando-o a retomar sua tarefa — até o fim dos tempos.

Contam que até hoje Sísifo vive arrastando essa pedra com muito suor para vê-la cair montanha abaixo sem poder ter o prazer de ver sua tarefa concluída.

A história de Sísifo

Sísifos atuais

Talvez neste momento você esteja passando por alguma dificuldade. Será que esse problema é simplesmente uma crise ou é a sua estratégia de vida? Será que essa dificuldade é um evento isolado ou um movimento que se repete há muito tempo em sua vida?

Às vezes uma separação afetiva significa simplesmente o fim de um relacionamento, mas outras vezes isso mostra uma forma de agir para perpetuar uma vida solitária.

Se você vive uma situação desgastante, pense que ela pode ser temporária, e a saída é usar toda a sua energia para superá-la. Mas, se mostra um padrão repetitivo em sua vida, é hora de tomar consciência e mudar o rumo das coisas.

Viver sistematicamente sem realizar seus projetos de vida é uma forma de expressar seus medos internos.

Agora eu lhe proponho que faça um teste para refletir sobre sua maneira de conduzir a vida. Ele não tem validade científica e é, aliás, muito simples. Se você quiser se enganar, poderá fazer isso facilmente, pois as perguntas são de fato muito simples. Mas, se você responder com consciência, ele lhe dará elementos para analisar seu comportamento.

Em geral as pessoas não dão muita atenção a testes. Passam por cima acreditando que voltarão a eles mais à frente, quando tiverem tempo. Quero lhe fazer um pedido especial: não caia nessa armadilha. Pegue um lápis ou uma caneta agora e resista à tentação de adiar, pois o resultado do teste lhe será muito útil. Se puder, converse com um amigo sobre suas respostas. Procure mergulhar fundo nessa reflexão.

Leia-o com atenção e responda a cada pergunta com honestidade. No fim, some os pontos de acordo com a tabela e confira o resultado.

Você tem medo de vencer?

1. Trabalho muito, mas os resultados sempre ficam abaixo de minhas expectativas.

a) Sim.
b) Não.
c) Às vezes.

2. Sempre planejo e me organizo antes de fazer as coisas.

a) Sim.
b) Não.
c) Às vezes.

3. Estou sempre começando algo novo em minha vida.

a) Sim.
b) Não.
c) Às vezes.

4. Tenho dificuldade de assumir compromissos.

a) Sim.
b) Não.
c) Às vezes.

5. Tenho conseguido realizar o que planejo.

a) Sim.
b) Não.
c) Às vezes.

6. Sempre consigo manter o mesmo entusiasmo do começo ao fim de meus projetos.

a) Sim.
b) Não.
c) Às vezes.

7. Tenho a tendência de buscar soluções mágicas para minhas dificuldades, em vez de aprender a assumir as responsabilidades do dia-a-dia.

a) Sim.
b) Não.
c) Às vezes.

8. Minha vida tem muitas situações de "quase" — quase me formei, quase me casei, quase fui promovido. Fico com a sensação de que costumo morrer na praia.

a) Sim.
b) Não.
c) Às vezes.

9. Tenho dificuldade de manter e honrar os compromissos assumidos e me atraso com freqüência.

a) Sim.
b) Não.
c) Às vezes.

10. Presto atenção nos detalhes de minhas ações.

a) Sim.
b) Não.
c) Às vezes.

Tabela de pontos

	A	B	C		A	B	C
1)	2	0	1	6)	0	2	1
2)	0	2	1	7)	2	0	1
3)	2	0	1	8)	2	0	1
4)	2	0	1	9)	2	0	1
5)	0	2	1	10)	0	2	1

De 0 a 7 — Sísifo não está com nada!

Você é uma pessoa que realiza seus projetos de vida. Certamente já tem consciência de que a vida depende de dedicação e comprometimento com suas metas. Por isso, quando as coisas não evoluem como foi planejado, você faz uma auto-análise e tem a humildade de mudar o que for necessário. Você sabe que neurótico é aquele que faz as mesmas coisas e espera que os resultados mudem.

De 8 a 12 — Às vezes atuo como Sísifo!

Você é uma pessoa que sabe o que quer, mas algumas vezes é acometido de um ataque de distração. Nessas ocasiões, costuma ter dificuldade de manter o foco em seus objetivos. Cuidado para não cair na tentação de passar a acreditar que você tem todos os méritos quando as coisas dão certo e que, quando não dão certo, a culpa é dos outros. Agir assim é pensar exatamente como aquele técnico de futebol cujo lema é: "Eu ganhei, nós empatamos, eles perderam".

De 13 a 20 — Sísifo é meu ídolo!

Puxa! Sua vida está cobrando de você uma grande revolução. Provavelmente os resultados não refletem sua capacidade nem seu talento. Nessas situações, é comum a pessoa nadar, nadar e morrer na praia.

A boa notícia é que você tem potencial para obter muito mais da vida do que está recebendo atualmente. A notícia sensacional que tenho para lhe dar é a seguinte: essa transformação só depende de você. Ao contrário do que você costuma pensar nos momentos de angústia, a causa dos maus resultados está exclusivamente na maneira como você conduz sua vida. Portanto, mãos à obra. Vamos juntos nessa.

Olhando dentro de você...

Vamos analisar seus resultados para saber que rumo sua vida está seguindo. Se você fez 7 ou menos pontos, certamente tem colocado suas pedras no topo da montanha. A pergunta que tenho para você é a seguinte: será que tem colocado as pedras no topo das três montanhas (a montanha profissional, a montanha do amor e a montanha da transcendência)? Muitas vezes, uma pessoa bem-sucedida profissionalmente é um grande Sísifo em sua vida afetiva. Ela tem muitas realizações profissionais, mas poucas conquistas afetivas. Nesse caso, leia o livro com mais atenção em seus relacionamentos.

Outras vezes, uma pessoa que tem uma vida familiar ótima é um grande Sísifo profissional. Se esse for seu caso, minha orientação é que você leia o livro dando mais atenção aos aspectos relacionados à carreira. Faço aqui um destaque especial às mulheres que tiveram a vida voltada exclusivamente para os cuidados com a família e agora sentem necessidade de promover uma grande transformação. Só não o fazem porque têm medo de mergulhar em novos desafios.

Para as pessoas que costumam agir como Sísifos, a orientação é: fiquem atentas para que esses deslizes não se transformem em hábitos. E, para aquelas que têm atuado fortemente como Sísifos, proponho um mergulho nessa proposta de transformação pessoal. Preparado? Então vamos seguir em frente.

O DNA do Sísifo

Milhões de seres humanos vivem como Sísifos no mundo moderno! São pessoas que não realizam seus objetivos porque procuram soluções paliativas que acabam gerando mais problemas. Não terminam os cursos que começam, faltam aos compromissos, não mantêm uma relação amorosa saudável. Vivem mudando de emprego,

A boa notícia é que você tem potencial para obter muito mais da vida do que está recebendo atualmente. A notícia sensacional que tenho para lhe dar é a seguinte: essa transformação só depende de você.

de profissão e de parceiros afetivos. Na ilusão de estar realizando uma verdadeira vocação, elas, na verdade, não conseguem colocar a pedra no topo da montanha.

Na seqüência, você encontrará dez características do Sísifo moderno — exatamente aquelas que apareciam de maneira dissimulada no teste. Vamos a elas.

1. São pessoas mais preocupadas com o esforço do que com o êxito

Procuram se mostrar preocupadas e agitadas, como quem faz muitas coisas. Adotam uma atitude parecida com a do jogador de futebol que corre sem objetivo pelo campo sem pensar que, se tivesse noção clara do que fazer, poderia se esforçar menos, ter mais objetividade e colher resultados melhores.

Recentemente, um dos meus filhos me contou que estava pensando em interromper as aulas do professor particular de inglês apesar de adorar seu trabalho. Eu estranhei essa decisão e perguntei a razão. E ele respondeu:

— Pai, ele tenta muito, é esforçado, mas não consegue manter o horário das minhas aulas.

Traduzindo: o professor se esforça muito, mas entrega pouco, comprometendo o resultado do seu trabalho.

2. Não planejam

Acostumados a agarrar o que surge pela frente para tentar encontrar algum sentido na vida, os Sísifos não planejam. Pelo contrário, agem por impulso porque se deslumbram facilmente com uma ilusória tábua de salvação.

Não analisam as conseqüências, as possibilidades de as coisas darem certo ou errado nem as etapas que precisam ser vencidas para que a vitória sorria no final.

Eles não têm a menor noção do sentido da palavra planejamento. Pensam que elaborar um projeto é desperdício de tempo.

Começam os novos projetos sem analisar suas conseqüências, e basta surgir uma dificuldade qualquer no caminho para que se desesperem e busquem mais soluções mágicas. Conseqüentemente, criam novos problemas, novas frustrações, novas decepções.

3. Estão sempre começando algo novo

Os Sísifos não completam seus objetivos. Têm muita iniciativa, mas pouca "acabativa". Não terminam o curso de inglês nem o de violão. Não entregam o relatório que precisavam preparar, a petição que tinha um prazo determinado, o projeto arquitetônico que deveriam concluir na quarta-feira.

Pertencem a esse grupo os executivos que implementam com grande estardalhaço novos projetos em suas empresas, mas não dão continuidade a eles. Começam tantas atividades ao mesmo tempo, todas prioritárias, que não têm fôlego para completar nenhuma. E então criam um círculo vicioso: diante de cada fracasso, apegam-se a algo diferente, em geral um novo projeto, com a ilusão de que isso dará sentido ao seu trabalho ou à sua vida.

Os Sísifos estão sempre atrás de um novo trabalho, um novo amor, um novo terapeuta, um novo estilo administrativo. Estão sempre dizendo "desta vez vai dar certo". O problema é que não se empenham. Depois de algum tempo, o fogo se apaga e eles têm de ir atrás de uma nova promessa de salvação para sua vida.

4. Têm dificuldade de assumir compromissos

Os Sísifos modernos empregam muito a palavra "talvez" e a expressão "pode ser". Falam muito em *tentar* em vez de assumir uma decisão. Por isso, quando combinar alguma coisa com um Sísifo, você vai perceber que ele vai dizer que vai tentar...

Tentar ir à sua festa.

Tentar entregar o relatório hoje.

Sua resposta tem de ser muito objetiva:

— Você pode fazer ou não fazer, mas não tente!

Seu tempo verbal predileto é o futuro do pretérito: gostaria, faria, diria. São muito diferentes a sensação interior e o compromisso de alguém que diz "pode ser que eu vá hoje à sua casa" da pessoa que afirma "hoje estarei em sua casa às nove".

5. Quando planejam não cumprem

Os Sísifos têm uma nova idéia a cada hora, que em geral se choca com tudo aquilo que tinham imaginado (e não planejado). Dessa forma, acabam não dando importância ao que haviam combinado com o chefe, os colegas de trabalho, a mulher e os filhos. O que eles gostam mesmo é de administrar por crises. Em vez de preveni-las, preferem criá-las, pois assim dão a impressão, aos outros e a si próprios, de que são importantes para a administração do caos. Adoram posar de salvadores da pátria.

Um exemplo de Sísifo nas empresas é a pessoa que tem idéias brilhantes fora de hora. É o caso do gerente que pede a sua equipe que monte o estande da empresa em uma feira. Mas ele, que deveria acompanhar todo o trabalho, omite-se e, na última semana, quando pede para ver o projeto, critica tudo e tem outra idéia. Resultado: dinheiro desperdiçado, equipe desmotivada e, o pior, estande improvisado.

6. Não têm noção de ritmo

Essas pessoas tendem a se dedicar muito a seus projetos no começo, mas aos poucos vão desanimando e finalmente desistem. São como aqueles que, ao começar um curso de piano, estudam seis horas por dia, fazem aulas extras e compram todos os discos. Aos poucos vão enjoando até que, após alguns meses, o piano não recebe sequer um olhar. Há também os gerentes que no início de um novo projeto incendeiam a equipe, mas depois de algumas semanas nem se lembram do que começaram.

Tenho uma amiga que todo ano muda de namorado. Na verdade nem dá tempo de namorar, pois duas semanas depois de conhecer a pessoa já estão morando juntos. Dividem as despesas. Entregam-se à paixão. Passados dois meses, ela já está com raiva do companheiro e fica imaginando um jeito de se livrar dele. Os estragos são inevitáveis. Devolver o apartamento, fechar a nova empresa que começaram juntos, viver as brigas da separação e principalmente ver a dor nos olhos da filha, que já estava apegada ao novo pai. Errar uma vez é humano, repetir o erro é desumano.

7. Procuram sempre soluções mágicas em vez de aprender a assumir as responsabilidades do dia-a-dia

Os Sísifos modernos não aprenderam que o caminho para o sucesso é um projeto simples, organizado de forma simples e realizado todos os dias. Se você for coerente com seu objetivo e fizer um esforço diário para realizá-lo, inevitavelmente será bem-sucedido.

Em vez de se conscientizar de que um corpo bonito e saudável é conseqüência de uma dieta adequada, acompanhada de exercícios físicos, a pessoa sempre aparece com um regime fantástico que lhe permite alimentar-se com o que quiser e quanto quiser — desde que não coma manga nem gorduras, nem outra coisa qualquer. Ela acredita em milagres onde eles não existem. Vê a propaganda na TV de uma fórmula que diz ser possível perder vinte quilos num mês. E bebe aquela gororoba diariamente sem se preocupar com os efeitos colaterais de uma alimentação que não tem nenhum tipo de orientação nutricional.

O Sísifo põe na cabeça que vai fazer um curso intensivo de duas semanas e falar inglês fluentemente.

Acredite: na maioria das vezes, as soluções estão nas ações mais simples, realizadas um pouco por dia.

8. Vivem no "quase"

Quase me formei, quase me casei, quase fui promovido...

Os "quase" mantêm as ilusões de sucesso dessas pessoas pelo fato de terem chegado perto do topo da montanha. E, quando você pergunta por que não conseguiram atingir o objetivo, elas não pensam duas vezes: acusam outras pessoas, a falta de tempo, o cansaço, o chefe, a empresa, a família. E depois dizem que vão tomar uma medida concreta: falar com o chefe, separar-se, administrar melhor o tempo. Sabe o que vai acontecer? No futuro, repetirão a ladainha: quase se separaram, quase fizeram um curso de administração do tempo, quase disseram umas boas verdades ao chefe.

9. Não mantêm os compromissos

Como os Sísifos perdem o estímulo mal começam uma tarefa, obviamente nunca cumprem acordos nem compromissos.

Agem como o jovem empresário que combina com o sócio ir a uma loja comprar lustres e mais tarde conclui sozinho que a iluminação não é importante naquele momento. Assim, simplesmente não vai à loja, deixando o outro plantado à sua espera.

O Sísifo se atrasa com freqüência e, para piorar, tem sempre uma desculpa ridícula que demonstra quanto ele não se importa com os outros.

Não respeita os prazos. Cancela reuniões na última hora. Não aprendeu que a palavra dada — e mantida — é o primeiro passo da construção de uma imagem de confiança. Em geral vai criando relacionamentos em que as pessoas se sentem estúpidas por ter valorizado o que foi combinado.

10. Esquecem detalhes fundamentais

O assistente vai à reunião de planejamento sem o relatório. O arquiteto vai à casa do cliente discutir a reforma e não leva a trena. O rapaz vai ao primeiro encontro com a mulher amada sem tomar banho.

São os detalhes que fazem a diferença entre uma vitória e uma derrota. Detalhes que podem determinar uma promoção, o reconhecimento do chefe, a conquista do respeito dos colegas, um bônus no fim do ano.

Saber administrar os detalhes é fundamental para quem sabe o que quer da vida. Lembre-se: ninguém tropeça em pedras grandes!

Talvez Hitler tenha sido um dos maiores estrategistas militares que o mundo conheceu. Como esse gênio do mal perdeu a guerra? Da mesma maneira que Napoleão perdeu a sua guerra: invadindo a Rússia no inverno.

Para os Sísifos modernos, a montanha é a oportunidade de crescer como pessoas e aprender a confiar em si mesmos. É saber que, ao se desenvolver como pessoas, estão criando um repertório de sucessos que vai ampliar sua auto-estima.

Quando você não consegue alcançar um objetivo, isso não representa apenas uma meta que deixou de ser cumprida. Significa também que houve um reforço em sua auto-imagem de alguém que não consegue fazer aquilo que se propõe. E, aos poucos, sua autoconfiança vai sendo minada, fazendo com que você estabeleça metas cada vez menores, pouco desafiadoras. Em outras palavras: você passa a viver uma vida pobre. Suas possibilidades de crescimento são pequenas, assim como as chances de dar uma virada na carreira. Você fica desmotivado e abre mão do direito de ser a pessoa que verdadeiramente é.

O que vou lhe dizer agora é muito importante: ainda que sua auto-estima esteja baixa, você pode parar de se desviar de seus objetivos e realizar seus projetos.

Pode passar a ter foco e produzir mais com seu trabalho.

Pode começar a celebrar as vitórias em vez de arranjar desculpas para seus fracassos.

Você tem o direito de brincar com seus filhos mesmo levando uma vida atribulada.

Você pode ter um relacionamento afetivo criativo mesmo com um ritmo de trabalho frenético.

Essa transformação é possível desde que você acredite nela.

O castigo de Sísifo: uma oportunidade para mudar

A história de Sísifo simboliza, melhor do que qualquer outra, a dificuldade do ser humano de atingir seus objetivos — não só pela forma como ele leva sua vida mas também pelo castigo a que é submetido.

A palavra "castigar" não significa exatamente "punir" (aplicar uma reprimenda em alguém que fez algo errado). "Castigar" expressa a idéia de dar ao outro uma chance de aprender. Se a criança não escreve bem e recebe uma palmada, isso é punir. Mas, se a criança não escreve bem e lhe dão um exercício para melhorar a escrita, ela está na verdade recebendo uma oportunidade de aprender.

A idéia de Hades não foi punir Sísifo, e sim castigá-lo. Era como se lhe dissesse: "Você passou a vida inteira fazendo tudo pela metade. Agora vou criar uma situação para forçá-lo a meditar. Você levará essa pedra montanha acima até quase atingir o topo, mas ela vai voltar. Como você fez com sua vida. Estará sempre recomeçando, para refletir sobre o motivo por que nunca procurou concluir nada e aprender a melhor maneira de atingir o topo".

De fato, Sísifo estava mais preocupado em driblar os problemas do que em procurar soluções. Já que não havia água, poderia ter construído um açude em suas terras. Depois que denunciou Zeus, poderia tê-lo procurado para pedir perdão. Poderia, enfim, ter tomado atitudes que resolvessem suas dificuldades sem causar mais problemas.

Hades agiu como pai. O bom pai que não quis punir o filho, e sim criar uma situação na qual Sísifo se desse conta do que havia feito com sua vida, oferecendo-lhe condições de aprender.

Às vezes, quando acontece a uma pessoa algo que a desagrada, ela pensa que Deus a está prejudicando. Não percebe que a situação, mesmo adversa, é uma oportunidade de desenvolvimento.

O Deus que existe dentro de cada um de nós coloca-nos em situações que nos permitem tomar consciência de nossos pontos fracos. Isso faz com que aprendamos a colocar a pedra no topo da montanha em vez de improvisar.

Nós somos o Deus de cada um de nós. Somos também a criação de cada um de nós. Somos nós que criamos o sobe-e-desce de nossa vida. E, como verdadeiros deuses, podemos criar, em nossa vida, uma caminhada em direção ao infinito.

Sísifo tinha Hades. Nós temos de aprender por nós mesmos, observando quando nossa vida se torna uma série de tentativas e desistências, com realizações abaixo de nossa capacidade, e aprendendo a reconhecer em nós o grande potencial que não está sendo realizado.

Quanto mais permanecermos inconscientes, mais acharemos que a pedra foi jogada para baixo pelo outro, e não por nós mesmos.

Quanto mais estivermos conscientes, mais assumiremos a responsabilidade pelo fato de essa pedra não ter chegado lá.

Quanto mais acusarmos alguém por nossos problemas, mais estaremos sabotando nossa capacidade de virar o jogo.

O vencedor faz com que sua pedra, seja no amor, seja no trabalho, seja na vida, quase chegue ao topo e caia, mas então recomeça tudo de novo. Ele tem consciência de sua responsabilidade pelos resultados. Sabe que somente quando aprender a colocá-la no cume da montanha é que sua vida vai evoluir.

Miragens à vista

Todo ser humano deseja orientar sua vida com o propósito de realizar seus projetos. Mas, enquanto para alguns é muito fácil chegar ao pódio, para outros parece que o topo da montanha se apresenta como uma miragem, um sonho que é impossível atingir.

Para muitas pessoas, ter uma casa própria é tão impossível quanto escalar o Monte Everest, o mais alto do mundo, sem nenhum tipo de equipamento de alpinismo nem roupas para enfrentar o frio, que chega a 50 graus Celsius negativos à noite. É praticamente uma missão impossível.

Essas pessoas até querem realizar a façanha, mas ela surge à sua frente como algo intransponível. Dizem que farão todo o possível para chegar ao fim, mas no íntimo não acreditam em sua capacidade.

E o pior de tudo é que, cada vez que um indivíduo não consegue realizar seus sonhos, mergulha em um profundo sentimento de inferioridade, desânimo e decepção consigo mesmo.

O psicólogo americano Taibi Khaler estudou o que acontece com as pessoas quando elas se sentem mal. Descobriu que isso ocorre quando o indivíduo não consegue manter uma forma idealizada de ser. Descobriu também que a pedra de Sísifo sempre começa a cair quando ele alimenta determinada ilusão.

Khaler observou que as idealizações das pessoas consistem em cinco miragens. Eu gostaria que pensasse em sua maneira de agir para ver se você se identifica com alguma delas. As pessoas começam a fracassar quando tentam...

Ser perfeitas

São aquelas pessoas que querem viver sem cometer nenhum erro. Não admitem sequer a possibilidade de não saber a resposta a uma pergunta feita num concurso da TV, de não conhecer a letra de uma música famosa, de não saber resolver um problema no escritório, de fazer alguma barbeiragem no trânsito, de não conhecer determinado trajeto para chegar à casa de um amigo.

Querem ser infalíveis, perfeitas, acima do bem e do mal. Freqüentemente deixam de cumprir seus compromissos porque querem ter controle sobre todos os detalhes antes de tomar uma decisão. Sempre exigem o melhor de si mesmas. E, como a perfeição não existe, elas se frustram violentamente. Pior: como têm verdadeiro pavor de errar novamente e descobrir sua falibilidade, acabam deixando de fazer o que se espera delas.

O medo de errar faz com que fiquem indecisas e não decidam nada. Acabam paralisadas. Deixam de construir coisas boas para si mesmas, para aqueles que estão a sua volta e para toda a sociedade.

Será que por acaso sua loucura é querer sempre fazer tudo perfeito?

Será que o que está destruindo suas ações é o desejo de estar sempre certo em vez de ser uma pessoa que dá certo?

Para combater o veneno da obsessão de ser perfeito, o melhor antídoto é deixar de controlar tudo e aceitar o fato de que as pessoas, inclusive você, às vezes acertam e outras vezes erram, mas principalmente aprender a aceitar a vida como ela acontece.

Agradar sempre

São as pessoas que procuram fazer todos felizes. Não conseguem ver seus clientes frustrados ainda que eles estejam errados. Não conseguem ter a sua casa, pois se sentem culpadas por deixar a casa dos pais. Não conseguem dizer não para os filhos porque acham que a obrigação dos pais é fazer tudo para vê-los sempre sorrindo.

Procuram adivinhar o que os outros querem. Antes que se diga qualquer coisa, já abanam a cabeça, fazendo sinal de que concordam.

Querem sempre mostrar-se simpáticas. Fogem do conflito apenas porque desejam se preservar. Se alguém da equipe está prejudicando os colegas, não dizem nada. O que vão pensar delas se fizerem alguma observação ou crítica ao amigo? Com que cara olharão para o colega de escritório quando cruzarem com ele nos corredores da empresa? Dessa forma, acreditam que o melhor é manter uma posição de neutralidade, fazer vista grossa e ficar bem com todo mundo.

Não percebem que se transformam em pessoas facilmente manipuláveis. Basta um colega ser um pouco mais incisivo e pronto: elas abrem mão de uma opinião que acreditam ser a mais adequada para a situação. São capazes de dizer, com um sorriso

Às vezes, quando acontece a uma pessoa algo que a desagrada, ela pensa que Deus a está prejudicando. Não percebe que a situação, mesmo adversa, é uma oportunidade de desenvolvimento.

estampado no rosto, "acho que você tem razão", mas lá no fundo estão repetindo a si mesmas: "Essa idéia é um absurdo. A minha é muito melhor".

Será que o fato de não saber dizer não está fazendo você sabotar sua vida?

Será que o desejo de ver todos sempre sorrindo está destruindo sua capacidade de buscar suas metas?

O melhor antídoto contra o veneno do sentimento de ser responsável pela alegria de todos é aprender a se colocar em primeiro lugar e saber que você só consegue ser responsável por sua felicidade.

Ser fortes

São pessoas que se propõem controlar os sentimentos e escondem a dinâmica de sua alma. Procuram não se envolver para que os outros não descubram suas fragilidades. Na verdade, elas criam uma espécie de escudo para se proteger.

Não se permitem pedir ajuda. Será que você se lembra daquela amiga do escritório que é a primeira a chegar e a última a sair? Que cuida dos filhos como se só fizesse isso na vida e por essa razão nunca pede ajuda quando não pode levá-los a uma festa? Que procura sempre passar a imagem de que tudo está bem na vida dela?

Quando perdem alguém da família, são incapazes de derramar uma única lágrima no velório com receio de que pensem que não têm estrutura psicológica para suportar a dor. Não dizem ao chefe que não estão bem de saúde em determinado dia com medo de que ele descubra que não são feitas de aço. Não pedem uma folga para levar o filho doente ao médico porque não querem demonstrar preocupação.

Tentam mostrar que são uma espécie de super-homens. O problema é que procurar ser invencível o tempo todo leva à exaustão, e nesse estresse a pessoa nunca produz tudo o que é capaz de produzir.

Será que o comportamento que está destruindo sua capacidade de ser feliz é a necessidade de esconder seu lado humano?

Será que o fato de procurar agüentar tudo sozinho, sem conseguir abrir seu coração, está fazendo com que você trabalhe abaixo de sua capacidade?

Para combater o veneno da tendência de agüentar tudo sozinho, o melhor antídoto é investir seu tempo no convívio com amigos com quem você possa abrir o coração e aprender a mostrar suas fragilidades para as pessoas queridas.

Ser as mais rápidas

São aquelas que vivem como se cada minuto fosse o último. Estão sempre correndo, agitadas, não desfrutam o presente, pois se sentem atrasadas, sem tempo para si mesmas.

Vão ao zoológico com os filhos, mas não relaxam. Em vez de curtir o momento e observar a beleza de cada animal, já começam a planejar o passeio do próximo fim de semana. Em vez de curtir o jantar com a pessoa amada num restaurante, passam a se preocupar com a conta e com o caminho de volta para casa. Não querem desperdiçar tempo com o que acreditam ser meras futilidades. Quando em viagem de passeio com a família, ficam atazanando a vida de todos para que façam a visita ao museu rapidamente porque ainda há outro lugar para conhecer.

Para elas o importante é produzir, estar atentas, saber como agir no minuto seguinte. Chegar em segundo lugar é o pior dos resultados. Essas pessoas não vivem, apenas sobrevivem. O melhor sempre estará por vir. Nunca viverão intensamente um momento de plena felicidade, pois estarão à espera de outro instante, ainda melhor que o anterior.

Será que você está diminuindo sua capacidade de realização porque se preocupa mais com a velocidade do que com a concretização de seu objetivo?

Será que você está destruindo sua vida afetiva e profissional por desejar ser rápido em vez de ser feliz?

Para combater o veneno do desejo de ser o mais veloz na vida, o melhor antídoto é aprender a se organizar, tomar o tempo necessário para realizar os objetivos e, principalmente, aprender a relaxar.

Ser esforçadas

São aquelas que valorizam mais o esforço do que a realização. Lutam muito, mas têm medo e não sabem concretizar suas metas.

Gostam de correr de um lado para o outro do escritório com relatórios nas mãos, mas sem saber exatamente o que devem fazer. São pessoas que vivem ofegantes, olhando assustadas para todos os lados. Sempre que você fala com elas, estão de cabeça baixa em sua mesa anotando algo, digitando apressadamente algumas palavras no computador ou falando agressivamente pelo telefone.

Fazem muita fumaça, mas quase não há fogo. Agitam demais, mas oferecem pouco resultado efetivo. Todo mundo diz que são pessoas esforçadas, que se dedicam, mas, infelizmente, não conseguem crescer profissionalmente. Por que será? Porque os líderes sabem que elas entregam muito pouco.

Será que você tem agido com muita preocupação e estresse e pouca objetividade?

Será que estar sempre nessa agitação tem destruído sua capacidade de realizar seus objetivos?

Para combater o veneno do esforço inútil, o melhor antídoto é decidir cuidadosamente, planejar e batalhar até conquistar sua meta.

A miragem principal do Sísifo moderno é justamente procurar ser sempre o mais esforçado em vez de ser o mais bem-sucedido. Mas em geral ele também tenta obstinadamente realizar uma das outras miragens: ser o mais rápido, o mais forte, o mais amado ou o mais perfeito. Acaba destruindo sua capacidade por tentar realizar essas ilusões. Parece bonito se propor ser o ideal de perfeição, amabilidade, força, rapidez e perseverança. O problema é que, quando a pessoa não consegue alcançar esse ideal, e na verdade nunca o consegue, sente-se inferior e muitas vezes mergulha em depressão.

Essa é a miragem. Como acontece com a falsa visão de um oásis no deserto, a pessoa se aproxima do objetivo e logo percebe que ele se deslocou para mais longe.

Quando se sente inferior, passa a se culpar, a se recriminar e criticar. Sente-se o lixo do mundo. Mas, como ninguém agüenta ficar por baixo o tempo todo, começa a culpar alguém. A culpa é do pai ou da mãe, do marido ou da esposa, do subordinado ou do chefe. Aparecem então a vontade de se vingar, o sentimento de injustiça, o ciúme.

Até que chega o momento em que a pessoa se decepciona com o outro e consigo mesma e então se sente num beco sem saída. Está montado o cenário da depressão, da sensação de que nada funciona e nada dá certo. A pedra rolou montanha abaixo. E lá vai o Sísifo tentar colocá-la novamente no topo sem mudar nada em seu comportamento, em sua postura e na forma de encarar a vida.

Nesse momento, se a pessoa resolver fazer alguma coisa, freqüentemente irá atrás da miragem de novo: "Agora vou me esforçar mais para ser perfeito, agradar a todos, ser mais rápido ou me virar sozinho".

Por que é assim?

O grande problema é que, em vez de se aceitar como é e ir atrás de seus objetivos, a pessoa se esforça, inutilmente, para atingir uma miragem. Idéias bonitas que acabam sempre levando ao sentimento de infelicidade. Como o piloto de automóvel que só se preocupa em ser o mais rápido. Despreza a estratégia, não respeita o carro e acaba batendo ou fundindo o motor — quando poderia ganhar a corrida se estabelecesse o objetivo correto, e não uma miragem.

Se você for do tipo perfeccionista, pode se lembrar de que é suficiente fazer bem as coisas, que não precisa ser perfeito, que você é uma boa pessoa mesmo quando erra.

Se for do tipo forte, pode admitir seus sentimentos e pedir ajuda porque ser durão fica bem para uma muralha, não para seres humanos.

Se você for do tipo apressado, pode aprender a usar o tempo de que necessita, a ter prazer no que está fazendo, pode curtir sua vida e verá que há tempo para tudo.

Se for do tipo que quer agradar a todos, pode valorizar a si mesmo e deixar de se sentir responsável pelos outros, pois nem Cristo, com sua infinita bondade, agradou a todos os apóstolos.

Se for do tipo esforçado, pense que pode estabelecer suas metas de vida e realizá-las, que lutar e se sacrificar por alguma coisa talvez seja eventualmente necessário, mas não deve ser o que você mais preza. Aprenda a valorizar mais as soluções do que o esforço.

Preste atenção neste círculo vicioso: tentar atingir uma miragem, sentir-se inferior, querer ficar por cima, sentir-se impotente, tentar novamente. É um círculo que começa como uma idealização.

É como o casal de perfeccionistas que, após uma crise, resolveram jantar juntos todo dia às oito da noite. No primeiro atraso dele, ela ficou desesperada. Ele, por sua vez, ficou angustiado por não estar cumprindo o horário. Então eles brigaram, culparam-se mutuamente e no final se sentiram impotentes para viver uma boa relação afetiva. Fizeram as pazes, mas resolveram jantar juntos todo dia – às nove da noite! E tudo recomeçou.

Um pouco de flexibilidade vai bem!

Sem medo de vencer

Se neste momento você sente que sua vida não está fluindo como gostaria, há três aspectos para analisar.

O primeiro, como vimos, é abandonar o desejo de ser o mais esforçado, de agradar sempre, de ser o mais apressado, de ser perfeito ou sempre forte. Essas ilusões vão desperdiçar sua energia, que deveria estar focada na realização de suas metas.

O segundo ponto é avaliar se você tem organização suficiente para realizar suas metas. Antes de prosseguir, reflita um pouco: você tem noção clara de seus objetivos? Você tem um plano de ação? Objetivos exigem planejamento, organização e disciplina. Pessoas bem-intencionadas, mas dispersas, vão amargar o fracasso.

O terceiro ponto, fundamental, é analisar se você tem medo do sucesso. Muitas pessoas sabotam sua vida porque têm medo de dar certo. Verdade! Infelizmente muitas pessoas associam o sucesso com sofrimento.

É como se no topo da montanha houvesse uma catástrofe. No fundo, os Sísifos modernos imaginam que existe uma maldição que vai persegui-los caso resolvam concretizar suas metas.

Esses medos são irracionais e inconscientes, mas estão totalmente encravados nas pessoas. É por isso que, muitas vezes, quando elas cometem falhas profissionais, sentem-se até aliviadas, pois imaginam que, se não tiverem êxito em seus projetos, estarão protegendo a si mesmas ou a um ente querido de alguma catástrofe.

Muitas pessoas, sem perceber, sabotam suas ações para não ter de enfrentar seus medos. Fazem como o atleta que sai para uma farra na véspera da final de um campeonato e no dia seguinte não rende o que poderia render. Na verdade, ele simplesmente está tentando evitar o sucesso para não enfrentar seus medos imaginários.

Agem também como a mulher obesa que faz regime, mas, quando está quase chegando ao corpo ideal, fica angustiada e volta a comer. Talvez ela imagine inconscientemente que, se ficar bonita, poderá tornar-se uma mulher vulgar, como sua mãe vivia dizendo que seria. Voltar a comer é uma forma de se proteger da vulgaridade.

Outro exemplo comum é o do profissional cujo pai, pobre, diz que não tem dinheiro porque no Brasil somente os corruptos ficam ricos. O filho sempre dá um jeito de fracassar para que o pai não perceba que ficou pobre porque não soube se dedicar a sua carreira. No fundo, o filho fracassa porque tem medo de que seu sucesso mostre ao pai que ele é um derrotado.

Há ainda o caso da mulher que decide voltar a trabalhar depois que os filhos estão na escola e, cada vez que é promovida, sente medo de que alguma coisa ruim aconteça com eles. Como sempre ouviu a mãe dizer que quando a mãe trabalha os filhos têm problemas, ela teme as promoções e pode sabotar sua carreira.

Certamente tudo isso acontece no inconsciente, ou seja: ninguém sabota a si próprio por um motivo racional.

Para os Sísifos modernos, a perspectiva de sucesso chega a ser assustadora. Veja como certos pensamentos podem destruir sua capacidade de realização.

"Se eu tiver sucesso, enfrentarei problemas"

É só dar uma olhada nas telenovelas. Sempre há um rico que se sentia feliz quando era pobre e, depois que enriqueceu, a mulher o traiu, o filho se tornou um drogado, o sócio o roubou, a empresa quebrou. E ele, que era uma pessoa legal, revelou-se um sujeito mesquinho. Parece que os pobres são felizes e os ricos são miseráveis.

No fundo, esse pensamento reflete a crença de que os pobres nunca têm problemas. Mas nós sabemos que isso não é verdade, não é mesmo?

"Se eu tiver sucesso, poderei perder os amigos"

É o medo da solidão, baseado na idéia de que as pessoas bem-sucedidas são solitárias, pois não têm tempo para os filhos, ficam arrogantes e não conseguem se relacionar com os antigos amigos. E, finalmente, eles se afastam delas.

No fundo, esse pensamento reflete a crença de que os pobres nunca sentem solidão. Será que isso é verdade?

"Se eu tiver sucesso, poderei ficar maluco"

É o medo da loucura, fundado na falsa idéia de que as pessoas de sucesso acabam malucas. Conseguem ficar ricas, mas se envolvem em tragédias com drogas ou em problemas, como se diz de tantos artistas famosos. Para constatar como a sociedade reforça esse pensamento, basta dar uma olhada nas primeiras páginas dos jornais sensacionalistas: parece que gente rica é sempre complicada.

No fundo, esse pensamento reflete a crença de que os pobres nunca têm angústias. Será que isso é verdade?

"Se eu tiver sucesso, certamente algo ruim acontecerá com alguém da minha família"

É o medo da desgraça, manifestado na fantasia de que um dos pais ou um dos filhos terá morte súbita ou sofrerá de problemas psicológicos e terá de viver solitário como os filhos de magnatas apresentados nos filmes e romances.

No fundo, esse pensamento reflete a crença de que os familiares dos pobres nunca têm problemas. Será que isso é verdade?

"Se eu tiver sucesso, vão pensar que sou desonesto"

É o medo da imagem negativa, causado pela crença de que só se obtém sucesso por meio da corrupção. Outro dia um parente meu que estava passando por problemas financeiros disse esta pérola: "No Brasil somente os desonestos se dão bem". Como eu não gosto de ouvir as pessoas falarem mal de nosso país, imediatamente respondi: "Por acaso você está dizendo que eu faço sucesso porque sou desonesto?" Ele ficou sem graça e percebeu que estava dando uma desculpa para seus problemas. É lógico que sei que nosso país tem problemas, mas também oferece muitas oportunidades para quem quer subir na vida honestamente.

No fundo, esse pensamento reflete a ilusão de que pobre é honesto e rico é sem-vergonha. Será que isso é verdade?

Infelizmente há religiões que criam a imagem de que somente os pobres vão para o céu, como se Deus quisesse que seus filhos fossem pobres. Da mesma forma, há muitos pais e professores que educam para a pobreza como também existem filmes, novelas e

O grande problema é que, em vez de se aceitar como é e ir atrás de seus objetivos, a pessoa se esforça, inutilmente, para atingir uma miragem. Idéias bonitas que acabam sempre levando ao sentimento de infelicidade.

romances que reforçam a imagem de que os ricos são infelizes e os pobres, sempre formidáveis.

Esses medos que muitos sentem são conseqüência da idéia de que as pessoas ricas são sempre desonestas ou complicadas e que o preço a ser pago pelo êxito é o sofrimento, além das perdas e penitências que devem ser carregadas por toda a vida.

A conexão sucesso-catástrofe é reforçada diariamente pelos meios de comunicação. Ayrton Senna, Marilyn Monroe, Elis Regina, John e Robert Kennedy, John Lennon, Getúlio Vargas, Jimi Hendrix, Leila Diniz... Há exemplos de sobra e de todos os tipos para confirmar a idéia errônea de que o sucesso leva à tragédia. Que ilusão perigosa!

Será que ninguém percebe que as tragédias também acontecem com gente comum, mas *não saem nos jornais?*

Conheci um profissional de marketing muito competente cuja carreira estava em franca ascensão. Com um nome respeitadíssimo no Brasil, começava a ser convidado para palestras no exterior. Mas ele tinha medo de avião. Seu pavor de voar era tamanho que já estava conformado com o sucesso nacional mesmo sabendo que tinha todas as condições de se projetar fora do país. Quando enfrentava o medo e viajava, acabava cometendo erros infantis que faziam sua carreira balançar. O pior era que, cada vez que sabotava sua carreira internacional, sentia um estranho alívio. Isso o intrigava: se algo de bom acontecia, sentia angústia; se o fato era ruim, sentia conforto. Mas, como tinha muita determinação, continuou a enfrentar o medo de voar, a angústia que sentia a cada novo sucesso e os pesadelos em que se via num avião que caía.

Certo dia, após a celebração de um sucesso estrondoso, teve um sonho no qual ele era o cantor Francisco Alves, que morria em um acidente de carro, e as pessoas em volta choravam e diziam: "Que pena, morrer agora que fez sucesso". Acordou assustado e lembrou-se de que, quando tinha 3 anos, seus pais choraram a morte do cantor comentando: "Puxa, justamente agora, no auge da fama, ele morreu".

O sucesso, para ele, ficou relacionado com a morte. Cada vez que se aproximava do topo, angustiava-se por estar imaginariamente caminhando ao encontro da morte. Somente quando teve a coragem de enfrentar suas angústias e seus temores e chegar ao topo da montanha é que pôde realmente saber o que provocava tudo aquilo. Logo depois desapareceram o medo de avião e os pesadelos. Sua carreira deslanchou como devia.

O que geralmente nos assusta no topo da montanha é tão irracional que nós só descobriremos do que se trata quando chegarmos lá e tivermos a coragem de enfrentar o desconhecido. Antes disso, só poderemos formular hipóteses, que dão boas explicações e ótimos temas de conversa, mas pouco resultado.

Às vezes, porém, o medo é real. O marido, por exemplo, pode sentir o sucesso profissional da mulher como a ameaça de uma crise conjugal. Mas, depois de algum tempo, se ele a amar de verdade, vai aprender a valorizá-la ainda mais pelo sucesso e perceber que, se ela tiver de traí-lo, isso poderá acontecer com ou sem o sucesso. Aliás, eu penso que as mulheres que só trabalham em casa têm muito mais oportunidade de manter um relacionamento extraconjugal.

Trate, portanto, de enfrentar os desafios e afaste as fantasias catastróficas do topo da sua montanha. Entenda que felicidade não é pecado. Desastres podem ocorrer a qualquer um — não são uma punição dos céus.

Tenho certeza de que todo o planeta vai ficar feliz com seu sucesso. Que seus filhos vão ficar felizes por admirar suas conquistas. Que as crianças do seu bairro poderão ter você como ídolo. Que seus sobrinhos terão você como eterna fonte inspiradora.

Cuidado com os sabotadores internos

Quando o medo de vencer começa a dominar o indivíduo, ele ativa uma série de mecanismos sabotadores que o impedem de conquistar seus objetivos.

É como se começasse sua viagem em direção ao topo da montanha, mas, na calada da noite, se apressasse a enterrar minas no próprio caminho. Assim, ao acordar para retomar a jornada, a trilha estaria cheia de ciladas.

O melhor a fazer quando você perceber que caiu em alguma dessas armadilhas é parar por um momento, observar e se questionar: "Como fui cair nessa cilada? Como posso desativar o mecanismo sabotador?"

Uma vez identificado o mecanismo, você deve tratar de jogá-lo fora. Continuar a escalada com uma carga extra só aumentará o gasto da energia necessária para realizar a meta. Sem energia, a desistência virá, a pedra cairá e então será preciso começar tudo de novo.

Na vida real, esses mecanismos sabotadores são certas atitudes desenvolvidas pelo indivíduo para não enfrentar os medos relacionados ao sucesso.

Adiar

Deixar para amanhã o que se pode fazer hoje é um belo caminho para chegar ao fracasso. Muitas pessoas ficam esperando o momento perfeito para fazer determinada coisa, mas como a perfeição não existe sua vida se torna um ninho de frustrações.

Alguns pais têm a ilusão de brincar com os filhos somente quando estiverem descansados. Como sempre estão cansados...

Há casais que pensam em viver uma noite romântica só quando os dois estiverem perfeitamente bem. Como sempre existe algum problema...

Certos empresários têm empresas caóticas, pois pensam em contratar um administrador somente quando tudo estiver arrumado.

Se você tem o hábito de adiar as coisas, isso significa que está se tornando impotente para fazer uma revolução em sua existência. Está abandonando o poder de determinar o verdadeiro rumo que deseja dar a sua vida apenas para manter uma ilusão.

Adiar significa arriscar-se a passar a vida sempre na esperança do que poderia ter sido em vez de viver a beleza das realizações.

Há pessoas que no plano profissional são decididas, sabem resolver as coisas e não deixam que as dificuldades se transformem em problemas. Já na vida afetiva...

Outras são ótimas com os filhos: previnem, planejam, resolvem. Já consigo mesmas...

O adiamento exerce uma espécie de sedução nos indivíduos que têm uma tarefa árdua pela frente. Eles nutrem a ilusão de que amanhã os problemas diminuirão e alguns se resolverão por si próprios. Mas, quando acordam, percebem que o fato de não terem feito nada apenas tornou a dificuldade maior. Percebem que perderam a oportunidade de conquistar uma vitória naquele momento e, em vez de aprender a lição, começam a procurar culpados para o seu fracasso.

A cabeça dos Sísifos modernos funciona dessa maneira: em lugar de procurar resolver suas dificuldades, buscam toda espécie de justificativa, explicação e desculpa para compensar a frustração de não ter alcançado seu objetivo.

Em vez de ver as possibilidades de realização de seus objetivos, procuram os culpados por seus problemas. É como a pessoa que tem uma dieta alimentar descontrolada. Quando sobe na balança, culpa o chocolate que comeu pelos quilinhos extras que ganhou. Lembre-se: chocolate não engorda. Quem engorda é você.

Veja o caso de um homem de grande talento musical que se casa muito jovem e deixa de lado seu sonho de ser músico para sustentar a família. Sua mulher logo engravida, e assim a aspiração dele cada vez mais se torna uma imagem difusa, um sonho longínquo. Anos mais tarde, trabalhando em um escritório, com os filhos já crescidos, esse homem vive frustrado por não ter desenvolvido seu talento para a música. Mas, para si mesmo e para os outros que lhe relembram seu maravilhoso dom musical, ele tem uma frase na ponta da língua:

— Ah! Se eu não tivesse casado... Também, minha mulher tinha logo de pensar em ficar grávida! Se fôssemos só nós dois, talvez eu ainda pudesse ter tentado.

Quem adia suas obrigações adia também suas realizações. O maior problema do hábito de adiar é o fato de um dia você olhar para a vida e ver que seus sonhos não têm mais a possibilidade de dar certo.

Repetir

No cinema do derrotado sempre passa o mesmo filme. Ele sabe que pôs o mesmo rolo no projetor, mas tem a esperança de que o final seja diferente. Veja que mecanismo esperto: faz a pessoa andar em círculos com a sensação de que está avançando!

O derrotado brinca consigo próprio, prometendo que o próximo negócio vai ser montado em outras bases, mas comete exatamente os mesmos erros. Destruiu um casamento com seu ciúme e começa outro contratando um detetive porque desta vez não quer ser pego de surpresa.

Por que essas pessoas não aprendem com os erros? A verdade é que não escolhem esses comportamentos, elas simplesmente repetem comportamentos que já deram certo um dia, mais exatamente em sua infância.

São comportamentos estabelecidos com base na imitação dos pais ou quando as pessoas percebem que determinadas atitudes são aprovadas e estimuladas, enquanto outras são reprovadas e punidas. Como precisam de atenção e aprovação, tendem a perpetuar algumas formas de comportamento e a anular outras.

A conseqüência disso é que, ao seguir um padrão infantil de comportamento, a pessoa perde o contato verdadeiro com a experiência e reage de modo predeterminado a qualquer situação.

Uma criança aprendeu que, se começasse a chorar diante de qualquer crítica, os outros ficariam desarmados e acabariam por fazer o que ela queria. Se repetir esse pequeno truque na vida adulta, certamente perderá boas oportunidades de crescer e se reformular. Poderá até conseguir que os outros façam o que ela quer, mas não se tornará um adulto de verdade.

Brigar com todos, ficar amuado ou indiferente, humilhar os mais fracos, viver competindo, seduzir os outros para conseguir alguma coisa — eis alguns comportamentos típicos desse mecanismo.

E quanto a você? Quais são as situações que continuam se repetindo em sua vida?

Quais são as queixas que seus familiares, amigos, chefes e colegas de trabalho têm feito de você?

Que tal observar o que essas críticas têm de verdade e sair corajosamente do círculo vicioso?

Lembre-se de que sempre há a opção de fazer o que é melhor para você.

Viver no mundo da lua

Esse é o mecanismo sabotador que mais oferece conforto a quem não sabe como atingir o topo da montanha. Ele faz você desviar a atenção de seu objetivo, pondo em seu lugar um mundo imaginário que pode estar no futuro, no passado ou mesmo em lugar nenhum.

Certas pessoas vivem em constante devaneio, criando experiências fantásticas no plano da imaginação, em que não há a menor possibilidade de ficar frustradas. Utilizam excessivamente sua capacidade de fantasiar. Procuram um mundo maravilhoso, onde podem ter o controle de tudo nas mãos e não existem as dificuldades do dia-a-dia.

"Ah! Como seria bom ser aeromoça em vez de secretária. Sempre uma viagem nova, um país diferente, hotéis confortáveis, sem compromisso." Em fantasias como essa não existem os passageiros chatos, as repetitivas tarefas de bordo, as escalas, o distanciamento do convívio com as pessoas amadas, os pousos de emergência. Trata-se de uma visão idealizada dessa profissão. Mas os problemas sempre existirão, independentemente da profissão que você escolher.

Quem se acostuma a usar a fantasia para extinguir frustrações cada vez mais se torna vítima do mal que quer extirpar, pois a cada "descida das nuvens" o peso da realidade parece vir em dobro. O sofrimento se torna ainda maior, pois a realidade é dura demais para ser encarada. E então se inicia um círculo vicioso: a pessoa foge novamente para o mundo da fantasia por não conseguir enfrentar o dia-a-dia. Dessa forma, passa mais tempo longe da realidade até que a vida, inevitavelmente, cobra o retorno de sua presença no mundo real.

É claro que a fantasia também pode ter função construtiva para a pessoa. Ela serve ao sonho, à idealização. Atenua os limites da matéria. Se você deseja chegar a determinado lugar, pode ir até lá com as asas da fantasia e com isso experimentar um prazer legítimo. Mas o abuso desse recurso pode levá-lo cada vez mais longe de sua finalidade de vida. É como se você usasse uma droga poderosa. Há aquela sensação de euforia inicial, que depois se transforma numa depressão profunda, com sérias conseqüências para seu bem-estar.

Outra forma de viver no mundo da lua é o apego exagerado ao passado. É fácil identificar gente que tem esse perfil. São pessoas que vivem dizendo coisas do tipo "no meu tempo era diferente" ou "se fosse na minha época". O que isso quer dizer? Que elas não estão vivendo os dias atuais. É como se estivessem mortas, pois o tempo delas era aquele que ficou lá atrás. E o dia de hoje? E o futuro? Elas não têm novas perspectivas de vida. Não evoluem. Pensam com a cabeça de vinte anos atrás.

É muito bonito viver lembranças gostosas do passado ou aproveitar experiências já vividas para evoluir, mas há pessoas que vivem no passado para se torturar no presente.

"Ah! Se meu pai tivesse me deixado ser piloto de avião..." E a pessoa segue pela vida afora a se lamentar do pai tirânico que lhe podou as asas. Encontramos, mais uma vez, a palavra "se", que permite à pessoa uma forma de prisão feita, embora ela não reconheça, pela própria vontade. O passado nos pertence e serve de medida do presente. Mas é preciso saber utilizá-lo produtivamente, e não lançar mão dele para erguer as grades de uma prisão.

Viver no futuro pode ser igualmente perigoso.

"Quando eu entrar na faculdade, poderei ser eu mesma."

"Quando eu emagrecer, serei mais feliz."

O futuro sem presente é sempre vago, meio distante, ao sabor de circunstâncias externas. O único modo de alcançá-lo de fato seria viver o presente sem adiar mais o contato com essa força interior que já existe dentro de nós.

Ao planejar suas ações para o futuro, condicionadas a um acontecimento hipotético, a pessoa perde de vista os inúmeros passos que tem de dar e alimenta uma expectativa ilusória de que aquilo pode se concretizar por si só. Você não deve somente torcer para que algo aconteça. Crie a realidade desde já!

O próprio fato de conjugar o verbo no futuro faz com que a pessoa nunca se sinta, hoje, capaz de realizar alguma transformação.

Para sair do mundo da lua e vencer todas as distrações, o melhor remédio é manter a concentração no aqui e agora. Agir como o jogador que entra para disputar uma final: para ele não há insultos da torcida adversária nem companheiros inseguros. As outras finais de que participou também não existem. Só existe seu objetivo: ser campeão. Ele parece hipnotizado, tamanha é sua concentração. Assim, terá segurança para resolver as dificuldades *dessa* partida, e não de outra qualquer – do passado, do futuro ou de sua imaginação.

Complicar

Quase todos os problemas que as pessoas enfrentam na vida são simples de resolver. Basta um "sim", um "não" ou tomar determinada atitude. Mas acabamos transformando os problemas em alguma coisa maior.

O ser humano tem o desejo natural de se sentir grande. Isso faz com que as pessoas aumentem os problemas para experimentar a sensação de que também são grandes por resolvê-los. Acontece

Quem adia suas obrigações adia também suas realizações. O maior problema do hábito de adiar é o fato de um dia você olhar para a vida e ver que seus sonhos não têm mais a possibilidade de dar certo.

que, na maioria das vezes, o problema aumenta mais do que nossa capacidade de solucioná-lo. E o que poderia ser facilmente resolvido ou tirado do caminho se transforma num fardo quase impossível de carregar. Resultado: mais uma vez se desperdiça uma oportunidade de realização.

As pessoas têm duas maneiras de complicar a vida: a agitação e a generalização.

A agitação é uma forma de os Sísifos enfrentarem seus problemas que não resolve nada. Por exemplo: o sujeito precisa pagar uma dívida, mas não tem dinheiro. Em vez de procurar renegociar a dívida ou tomar dinheiro emprestado, fica nervoso e briga com a esposa. Sente-se mais angustiado e começa a beber. Vai visitar os pais para ver se consegue o dinheiro e acaba discutindo com eles. Além da dívida, ele agora tem outros dois problemas urgentes e, para piorar as coisas, seus nervos estão em frangalhos.

E você, será que está fazendo tempestade num copo d'água?

A generalização, por sua vez, pode ser muito útil e necessária. Se a criança aprende na escola que duas maçãs mais duas é igual a quatro maçãs, o mesmo princípio valerá para pêras, abacates, tomates e chuchus. Qualquer que seja o objeto, ela sabe que princípio seguir. Isso evita que gaste energia em operações desnecessárias.

O problema começa quando os parâmetros se cristalizam de tal modo que a pessoa passa a acreditar nessa generalização como se fosse uma verdade universal. Assim nascem os preconceitos, que procuram fazer o mundo se encaixar numa idéia fixa:

"As mulheres são muito complicadas. Ninguém consegue entendê-las".

"Os homens não querem compromisso".

"Os filhos dão muito trabalho".

"Eu não ganho bem porque as empresas são muito machistas".

Pode ser que existam mulheres complicadas, assim como homens que não querem compromisso, mas quando alguém faz uma generalização isso bloqueia qualquer outra possibilidade, pois diz que não há alternativas.

Generalizar demais faz a pessoa perder de vista a oportunidade de encontrar uma companheira colaboradora, um namorado que quer compromisso, um filho cooperativo ou uma empresa que valoriza suas profissionais.

Ter preconceitos

Os preconceitos complicam muito a vida das pessoas porque, em vez de buscar resultados, elas procuram provar que seus pontos de vista são verdadeiros:

"As mulheres são menos inteligentes".

"Os negros não são trabalhadores".

"Os homossexuais não são comprometidos".

Ser preconceituoso é uma atitude de fracassado, pois a pessoa, em vez de olhar para sua meta, procura formas de diminuir os outros. Para piorar as coisas, a pessoa que tem preconceitos contra os outros acaba criando preconceitos contra si própria.

O pior preconceito de todos ocorre quando a pessoa se coloca em situação limitante:

"Ah, se eu fosse homem!"

"Ah, se eu fosse mais alto!"

"Ah, se eu fosse mais jovem!"

A idade é um exemplo marcante de quanto é limitador o preconceito contra si mesmo. Se a pessoa se acha derrotada, vai continuar perdendo todas as batalhas que terá pela frente. Não tem jeito. Aquele que na juventude foi um preconceituoso fervoroso contra idosos é hoje, ao atingir 50 anos, um ferrenho preconceituoso contra ele mesmo.

É lógico que não são somente os preconceituosos que chegam a certa idade e já se rotulam como velhos. Esse é um problema de muitas pessoas. Elas fixam a idéia de que já é muito tarde para investir energia numa vida nova. Nem sequer atualizam suas idéias observando o que acontece ao seu redor.

No início do século passado, a expectativa de vida do brasileiro era de 33 anos, ou seja, na época alguém com 40 anos já era velho, havia vivido muito. Hoje ainda existem pessoas que aos 50 anos já se consideram velhas, sem se dar conta de que atualmente morre cedo quem não chega aos 70.

Com os novos avanços da ciência, a média de vida em pouco tempo chegará facilmente aos 100 anos! Isso significa que alguém com 50 anos, prestes a se aposentar, só viveu metade da vida. É muito tempo para ficar esperando a morte!

Sempre é o momento de aproveitar a maior oportunidade que o ser humano tem: viver a vida. Independentemente da idade, escolha uma profissão, entre na faculdade, arrume um emprego. Faça melhor ainda: se os filhos estão criados e você já ganhou algum dinheiro, adote um novo estilo de vida. É importante viver sempre a nossa realidade, e não o falso mundo dos preconceitos.

Se alguém é competente sendo jovem, ótimo.

Se alguém é alegre sendo velho (ou seja, perto dos 100 anos), sensacional! Não se considere velho demais para ser feliz nem para mudar alguma coisa em sua vida. Lembre-se: antes tarde do que mais tarde.

Desanimar

A raiz da palavra "desânimo" é o termo latino *anima,* que significa alma. Alguém que desanima, portanto, é alguém que perde a alma.

O caminho até o topo da montanha certamente criará muitas situações desanimadoras. Pode-se até dizer que o mundo atual é dominado pelo pessimismo. Quando esse mecanismo sabotador quiser roubar sua alma — seu ânimo —, trate de pegá-la de volta! Vá buscá-la, vá em busca de sua fé!

Talvez seja útil compartilhar suas dificuldades com um amigo, comentar a forma como o desânimo está tomando conta de sua vida. Se o problema estiver no trabalho, procure o apoio da família. Se estiver no amor, extraia energia do trabalho.

Faça como quiser, mas jamais deixe a peteca cair! Afinal, quem sente o desânimo é você. É sua a decisão de sair na escola de samba "Unidos dos Desanimados" ou na escola de samba "Unidos dos Transformadores".

Gosto muito de um pensamento de Albert Einstein, o físico genial que revolucionou a ciência com a Teoria da Relatividade:

"A vida é como jogar uma bola na parede:

Se for jogada uma bola azul, ela voltará azul;

Se for jogada uma bola verde, ela voltará verde;

Se a bola for jogada fraca, ela voltará fraca;

Se a bola for jogada com força, ela voltará com força.

Por isso, nunca jogue uma bola na vida de forma que você não esteja pronto para recebê-la.

A vida não dá nem empresta; não se comove nem se apieda.

Tudo o que ela faz é retribuir e transferir aquilo que nós lhe oferecemos".

Sempre tenha em mente que Deus está dentro de você. Que sua vida é uma eterna oportunidade para que todos possam ver sua força de campeão e, principalmente, para que você sempre esteja em contato com sua capacidade de deixar este mundo o mais próximo possível da glória de Deus.

Duvidar

Um único sopro de dúvida é capaz de derrubar uma montanha de sucesso.

Imagine um jogador de basquete que vai arremessar o lance livre no último segundo. A partida está empatada, e a vitória, em suas mãos. Ele está concentrado no arremesso da bola e quer acertar, fazer o ponto e ganhar. Eis que, de repente, a dúvida aparece: "Será que eu vou conseguir?" A dúvida desequilibra os dedos, as mãos e os braços. A bola bate no aro e vai para fora!

Quem não se lembra do pênalti batido por Roberto Baggio contra o Brasil na final da Copa do Mundo de 1994? Baggio era um craque. Todos sabiam do seu potencial, da sua capacidade técnica. Mas ele se sentiu pressionado. Se não convertesse aquele pênalti, o Brasil seria campeão. Milhões de pessoas no mundo todo olhavam para ele naquele instante. Imagine a pressão que sentiu. Quando partiu para a bola, o que será que passou pela cabeça dele? A questão é que a bola foi para fora. E a Itália perdeu a Copa do Mundo.

Meio segundo de dúvida também tem o poder de abortar amores maravilhosos. Uma mulher está apaixonada por um homem que ainda não sabe disso. Ele pega o telefone e começa a discar pensando nas palavras que dirá ao convidá-la para sair. Falta apenas mais um número, e a dúvida aparece: "Mas e se ela disser não?"

Ele desliga o telefone, deixa para outra vez. O tempo passa, ela perde o interesse e encontra outro amor. E ele fica sozinho... com sua dúvida.

Quando você se sentir rodeado de dúvidas, enxote-as com firmeza. Os Sísifos estão sempre cercados de dúvidas. Não sabem se compram um sapato preto ou marrom. Não conseguem escolher entre uma camisa social e uma camisa esportiva. Não sabem se devem confiar ou não num amigo.

Perceba que viver atolado em dúvidas é uma armadilha. Parece que você procura pensar em todos os detalhes, mas no fundo está paralisando suas ações.

Quando a dúvida aparecer, destrua-a imediatamente.

"Será que ela vai gostar de mim?" Responda rápido: "Vai!"

"Será que eu vou conseguir?" Responda rápido: "Vou!"

As dúvidas destroem sua energia criadora. Elimine-as!

Como chegar ao topo

Se você se deu conta de que está vivendo como um Sísifo, luta muito mas não consegue colocar a pedra no topo de sua montanha, precisa estabelecer uma estratégia para aprender a levar sua vida até um ponto que não permita o retorno ao início da caminhada. Cada montanha tem sua história, mas há um caminho básico, cujo aprendizado pode se aplicar a qualquer das dimensões da vida, seja o trabalho, seja o amor, seja a paz.

O primeiro passo é reconhecer que você mesmo está deixando a pedra cair

Ela não é jogada pelos outros. Quando você tiver coragem de assumir a responsabilidade pelas sabotagens e trapaças que atrapalham suas realizações, poderá retomar o poder sobre sua vida.

Infelizmente, a maioria das pessoas pensa que se as coisas dão certo é porque agiram bem e se dão errado é porque os outros agiram mal. Negam a si mesmas o controle sobre a vida. Tornam-se fracas, sem poder.

Para retomar esse controle é preciso, acima de tudo, honestidade. Você deve assumir os fatos: quer realmente casar ou ficar solteiro? Quer realmente ser diretor ou continuar como gerente?

Muitas pessoas sentem-se como vítimas porque não recebem uma promoção, quando na verdade querem manter um cargo que não exige horas extras nem a obrigação de liderar um grupo.

Outro exemplo simples, embora muito triste, é o do homossexual que se obriga a casar e ter filhos só para não chocar a família nem a sociedade. Imagine quanto sofrimento desnecessário, quanta energia jogada fora! A atitude mais sensata seria assumir sua preferência sexual e estruturar uma relação nessa base. Os preconceitos que enfrentará certamente serão menores do que a miséria de uma vida falsa.

Ninguém pode ser responsabilizado por seus atos e por seus resultados. É fundamental que cada um perceba que seus atos estão causando determinados resultados. Se eu quiser mudar os resultados de meus atos, primeiro terei de mudar minha maneira de agir. O neurótico quer fazer sempre a mesma coisa e obter resultados diferentes. Imagina que os outros devem mudar, mas ele pode continuar a fazer tudo da mesma maneira.

Um dia destes, um jovem dizia que não conseguia estudar porque o pai não o apoiava. Depois de reclamar bastante, afirmou:

— Eu preciso do apoio do meu pai.

Respondi com firmeza:

— Você precisa colocar seu precioso traseiro na cadeira e estudar porque, independentemente do que seu pai fizer, você é que terá de estudar. Ele não pode fazer isso por você.

A responsabilidade pelos resultados que você está colhendo vem de alguma coisa que fez ou está fazendo, e não de algo que alguém fez por você.

O segundo passo é perceber de que maneira você joga sua pedra montanha abaixo

Ao observar sua maneira de agir, a pessoa entenderá o que precisa mudar para obter os resultados desejados.

Nessa fase, ela começa a ver as próprias sabotagens. Descobre que, em vez de se concentrar quando está estudando, fica preocupada em programar a diversão do fim de semana – e assim não aprende grande coisa.

Que, em vez de trabalhar duro em sua pesquisa, fica navegando pela internet em *sites* que não a ajudarão em nada.

Que, em vez de cuidar de seus clientes, deixa todos eles esperando na fila — e não entende as razões por que vão embora.

Que, em vez de ser compreensiva, pressiona insistentemente o parceiro para morarem juntos.

Que, em vez de entregar logo o trabalho prometido, deixa a coisa se arrastar até que o chefe começa a cobrar.

Que nunca tem dinheiro porque não consegue controlar o impulso consumista quando vê algo de que gosta...

Em geral, quando a pessoa descobre que seu comportamento está causando as dificuldades que enfrenta, começa verdadeiramente a assumir a responsabilidade pelos resultados. Daí a pensar em mudança é um passo bem fácil.

O terceiro passo é aprender a colocar a pedra lá em cima

É importante que esse seja o último passo porque, se a pessoa tentar colocar diretamente a pedra no topo da montanha sem ter a humildade de aprender, correrá o risco de viver a ilusão de que "desta vez vai ser diferente".

Talvez você já tenha vivido isso: pensou em fazer algo, mas, como não houve disciplina nem método, repetiu os mesmos erros baseado nas mesmas ilusões. E, assim, a queda da pedra virou rotina, ou seja: passou a agir e a pensar como Sísifo.

O estudante começa a perceber que sua mesa de estudo está um caos e se organiza antes de começar a estudar.

O profissional percebe que se obriga a conversar com todo mundo e não prioriza a necessidade de se concentrar em seus projetos.

A pessoa percebe que sempre acaba ficando sozinha porque é muito crítica e tenta aprender a ser mais compreensiva.

Com a chegada da maturidade, a pessoa começa a se dar conta de suas dificuldades e passa a se organizar de outra forma para realizar seus objetivos.

Percebe quais são as coisas que desviam sua atenção e descobre como render melhor.

Eu, por exemplo, embora consiga escrever em todos os tipos de situação, como em aeroportos, dentro do avião ou mesmo no banco de trás do carro, sei que rendo mais de madrugada. Então, quando estou na fase de conclusão de um livro, durmo bem cedo e acordo às 3 da manhã. E no silêncio da noite, sob a bênção das estrelas, eu me concentro melhor.

Quando você escalar sua montanha, vai perceber que algumas dificuldades sempre aparecerão. Saber analisar a situação e se organizar para resolvê-la é um sinal de que seu lado Sísifo está indo embora.

Nessa fase, um dos grandes segredos é aprender a ver os problemas como eles são: fatos. Não fique se torturando nem se criticando. Pare com essa mania. Analise o fato sem julgamentos. Assim, poderá modificá-lo mais facilmente.

Por exemplo: se seu filho está com problemas na escola, é importante perceber que se trata de uma dificuldade de momento. Se você se torturar e disser a si mesmo "eu sou um pai ruim, agora ele vai repetir de ano, não vai dar certo na vida", isso só aumentará o problema. A tensão criada será tão grande que acabará atrapalhando a criança em vez de ajudá-la a superar sua dificuldade.

Em lugar disso, você pode agir com bondade, amor, simplicidade e compaixão, encarar o fato e dizer: "Bem, o garoto está com uma dificuldade. O que nós podemos fazer? Do que ele está precisando?" E então decidir-se pela melhor atitude.

Estou certo de que você tem dado o sangue para atingir suas metas. O ponto fundamental, no entanto, não é trabalhar mais, e sim se organizar para obter melhores resultados.

Para atingir o topo, é preciso ter um método e, sobretudo, conhecer as armadilhas do caminho. É disso que vamos falar agora.

O começo da escalada

Chegamos ao momento de estabelecer as metas e aprender a colocar a pedra no topo da montanha.

Estabelecer metas significa criar uma estratégia para atingi-las. Na verdade, um executivo que chega à presidência de uma empresa começou a formular sua estratégia quando ainda era um simples auxiliar de escritório. Naquela época, instintivamente, ele percebeu que era importante ter um título universitário e então começou a estudar à noite para se graduar. Descobriu que tratar os clientes como amigos fazia com que ele próprio se tornasse mais importante para a empresa. Notou que o domínio do inglês e da informática o transformava em um funcionário especial. Entendeu que o fato de aceitar de bom grado uma tarefa difícil, que talvez nem fosse sua, desenvolvia suas habilidades e seu conhecimento sobre a empresa. Assim, foi caminhando até atingir sua meta.

O mesmo acontece com o amor. Observe o homem que comemora com muita alegria suas bodas de ouro, cercado dos filhos, netos e amigos. Esse momento começou a ser preparado na adolescência, quando aprendeu a conhecer as moças, a buscar encontros amorosos. Depois aprendeu a dialogar, a planejar uma vida a dois e a realizar seus planos. Quando vieram os filhos, aprendeu a cuidar deles sem se esquecer do relacionamento com a mulher. Nos momentos em que teve de trabalhar muito, sabia que não custava gastar cinco minutos falando com a esposa pelo telefone: ela se sentia amada, e ele, renovado.

Você pode estabelecer os objetivos mais ousados que sua mente planejar. Mas é indispensável ter a noção clara de que, quanto maior o objetivo, mais você terá de se organizar, maior terá de ser sua disciplina. Objetivos grandes significam maior determinação e, principalmente, uma ótima estratégia para conseguir realizá-los.

As melhores metas são aquelas que motivam, propõem um desafio e levam ao crescimento.

Se você é um pai distante, estabeleça a meta de manter um diálogo gostoso com seu filho. Não pense que isso é impossível nem fique prostrado diante da idéia de que "ah, não vai dar. Eu nunca participei de sua criação. Ele é muito rebelde, vivemos brigando, não tenho paciência com ele!" Se é importante para você, então é possível. Decida que vai conseguir — e aja!

No caso do pai que tem como objetivo dialogar com seu filho, quais seriam os passos?

O primeiro seria aprender a ouvir o filho e respeitá-lo, ainda que não concorde com suas idéias. Aceitá-lo do jeito que ele é, parar de tentar mudá-lo. Afinal de contas, certamente ele sabe o que acontece em sua vida, o que seu pai ignora, pois o filho é quem vive as próprias experiências.

Em seguida, outro passo importante seria sair juntos não com a obrigação de conversar, mas só para conviver. Que tal ir ao cinema? Que tal aquela exposição? Que tal perguntar a ele aonde deseja ir?

Talvez o pai se pergunte: "Mas para conseguir alcançar esse objetivo vou ter de mudar?"

Sim. Para obter os resultados atuais, você sabe muito bem o que tem de fazer. Se quiser resultados diferentes, porém, será preciso adotar outra postura e agir de maneira diferente. As melhores metas são as que exigem transformações.

Agora vamos mudar um pouco as regras do jogo. Quem vai escrever o livro é você.

Escreva no quadro da página 74 cinco metas importantes para você. Há três espaços para cada meta. No primeiro, escreva o objetivo. Nos outros, escreva dois passos importantes para atingi-lo.

Por exemplo:

Meta	1º passo	2º passo
Ter amigos	Conversar com colegas de trabalho	Convidar um amigo para jantar em casa
Ter um negócio próprio	Fazer um curso básico de administração de empresas	Planejar minha empresa

Certamente você tem objetivos maiores que os do exemplo apresentado. Ótimo! Veja estes exemplos, bem mais ambiciosos:

Meta	1º passo	2º passo
Ter uma construtora que fature 50 milhões de reais por ano	Fazer um curso de administração de empresas	Montar minha construtora
Ter um casamento feliz e fazer bodas de ouro	Namorar a pessoa que eu amo	Casar-me com ela

O céu não tem limites. Pense no que você quer para que a vida valha a pena. Decida realizá-lo e organize sua estratégia. Lembre-se: quando se quer chegar a um lugar ainda desconhecido, é preciso ter um mapa. Esse é o seu mapa. Agora é só organizar a viagem para chegar lá.

Muito bem, é a sua vez:

Meta	1º passo	2º passo

Pronto? Agora você pode continuar a ler o livro.

Daqui para a frente, vamos começar a subir cada uma das montanhas tentando desvendar seus mistérios, vencer seus desafios e admirar toda a beleza da paisagem que se vê ao redor.

As três montanhas

Você pode escalar infinitas montanhas ao longo da vida, tantas quantas sua imaginação criar. Mas existem três que são básicas, com seus segredos, suas armadilhas e seus desafios.

A montanha profissional

É aquela que desenvolve a capacidade de criar fatores que favoreçam sua autonomia, de prover condições econômicas e materiais que facilitem sua subsistência, bem como de cumprir sua missão de tornar o planeta um pouco melhor.

A montanha afetiva

É aquela em que a pessoa efetiva sua vocação para o amor. O aspecto principal está ligado aos relacionamentos amorosos, à construção de uma relação afetiva estável, que a fará sentir-se à vontade com o ser amado — e com base nesse aprendizado criar uma família amorosa.

A montanha da transcendência

É aquela que está relacionada com a busca da paz psicológica e espiritual, a necessidade de ir além da realização profissional e amorosa. É a possibilidade de o indivíduo se sentir parte integrante do universo.

Ainda que essas três montanhas estejam interligadas, com trilhas que as unem, há certa ordem natural em que são escaladas no transcorrer da vida.

As primeiras são a profissional e a do amor porque lidam com objetivos mais concretos e atendem a necessidades mais instintivas. Depois a tendência é procurar valores mais profundos.

Quando um jovem está saindo de casa, é compreensível que ganhar dinheiro seja sua prioridade. O mesmo ocorre quando se tem um filho: é preciso criar condições materiais para abrigá-lo. O problema é que muitas vezes a pessoa se agarra ao topo da montanha profissional mesmo depois de já ter conseguido o que pretendia e sente um grande vazio existencial. Está na hora de escalar a montanha do amor.

Também pode ocorrer o contrário: um grande amor é conquistado e consolidado, mas acaba sendo minado pelos fracassos profissionais. A montanha, que parecia tão sólida e invencível, desmorona sob o peso de uma vida de tumultos e carências materiais.

O ideal é que as pessoas aprendam a escalar a montanha profissional e a do amor ao mesmo tempo. A subida de uma não justifica a fuga dos obstáculos e desafios da outra. Deve servir, isso sim, de estímulo. Alguns jovens solitários que iniciam a vida profissional dizem: “Não quero namorar ninguém porque preciso dar atenção total a minha carreira”. Embora pareçam ambiciosos, no fundo não acreditam muito em si mesmos, pois pensam que sua energia é tão limitada que não é suficiente para atender a dois propósitos ao mesmo tempo.

Como é bonito quando uma promoção no trabalho é comemorada com um jantar romântico! Como é gostoso quando a simples lembrança da pessoa amada nos dá energia para resolver um problema profissional!

A verdadeira caminhada — representada pela montanha da paz espiritual — quase sempre vem depois dessa fase de realização. Na etapa de conquista da segurança material e afetiva, a pessoa geralmente sente Deus como um protetor que a ajuda a realizar essas metas. Quando já alcançou suas metas, começa a fazer perguntas mais sutis, como:

Será que a vida é só isso?

O que estou fazendo neste planeta?

Qual é o sentido da minha vida?

Essas perguntas fazem mais sentido quando as questões básicas da vida já foram resolvidas.

Na Índia, quando um rapaz ou uma moça pede dinheiro aos pais para fazer meditação no Tibete, algo está errado. É como querer viver a adolescência antes da infância.

Muitos jovens abandonam a faculdade e viajam para a Índia ou para qualquer outro lugar sagrado em busca da espiritualidade. Ao receber esses jovens, a maioria dos bons mestres lhes diz, logo na primeira conversa: "Volte. Termine seus estudos, construa uma carreira, ame alguém, tenha seus filhos e depois me procure".

Os mestres sabem que a vida espiritual pode tanto ser uma busca quanto uma fuga. Assustadas com os desafios profissionais e afetivos, algumas pessoas tentam um atalho para chegar ao topo, que se torna ainda mais difícil de alcançar.

Seguir diretamente ao topo da montanha da transcendência é possível, mas não aconselhável, exceto para os santos e os iluminados, que já nasceram com o mapa. Para eles, basta respirar e pronto: já estão em contato com o divino. Mas, para a maioria das pessoas, a pretensão de seguir diretamente para o cósmico pode ser uma fuga de suas dificuldades de lidar com o mundo material.

A montanha profissional

Trabalhar com prazer e competência deve ser uma maneira de viver, e não uma obrigação. Quando o trabalho se torna uma obrigação algo está errado, afinal todos os seres vivos sabem transformar o meio ambiente para preservar a vida. A árvore sabe transformar água e sais minerais em flores e frutos. O pássaro tem alegria em buscar os alimentos que nutrem seus filhotes. Assim como ocorre em toda a natureza, o ser humano também tem a vocação de defender o próprio crescimento.

Infelizmente muitas pessoas têm pais que, por mimá-las, destruíram seu prazer de trabalhar para realizar-se. Outras tiveram pais tão críticos que minaram sua autoconfiança. Para essas pessoas, o trabalho se transformou em um problema complicado a enfrentar.

É tão lindo ver alguém que aprendeu a encarar o trabalho como uma forma de realização e é capaz de compreender todas as dimensões da vida envolvidas naquilo que parece uma simples sucessão de tarefas. Pessoas assim expressam o próprio ser, imprimindo sua marca na realidade exterior. Sabem que o trabalho leva seu amor ao próximo. É por isso que a mãe não quer que os filhos deixem esfriar a refeição que preparou: ela sente que o calor da comida é uma extensão do próprio calor, uma representação de seu carinho em forma de alimento.

Cada desafio apresentado pelo trabalho precisa ser encarado como uma chance de crescimento e uma oportunidade de colher os frutos que darão condições de realizar outros objetivos.

Assim como o amor, o trabalho é um grande espelho de sua vida. Ele mostra se você leva a vida como uma obrigação ou com prazer, se você se considera uma vítima ou uma pessoa realizadora, se é ditador ou cooperativo. Embora predomine a idéia de que as pessoas são diferentes no trabalho e em casa, perceba como as coisas das quais reclamam no trabalho são, no fundo, as mesmas das quais se queixam em casa. Em geral o sujeito que não consegue cumprir os compromissos com a família é aquele que costuma brincar dizendo que Deus fez o mundo em seis dias porque não havia ninguém para pressionar nem perguntar quando ficaria pronto.

O trabalho é fundamental, mas não deve ser a única maneira de encontrar a felicidade. Hoje em dia há muitas pessoas que somente sabem sentir-se bem quando estão trabalhando. Infelizmente existem muitos viciados em trabalho. Essa é a mesma situação da pessoa que só se sente feliz quando bebe. Em ambos os casos, o indivíduo fica dependente de algo para viver. O trabalho então se torna uma fuga, um mecanismo usado para esconder a dificuldade de amar, desfrutar a vida, ter amigos e, principalmente, compartilhar os sentimentos verdadeiros. Conheço muita gente que fica no escritório até tarde porque quer adiar ao máximo a hora de ir para casa. Esconde-se no trabalho porque não sabe brincar com o filho pequeno nem se divertir com o filho adolescente, muito menos namorar a esposa.

Quando a pessoa percebe que o trabalho é uma dimensão muito importante da vida, mas não a única, consegue se comprometer sem se escravizar, expandir-se em vez de se limitar.

Sempre há muito o que aprender no trabalho — não só para aumentar a competência em executá-lo como também para ampliar o prazer em fazê-lo, aprimorando a comunicação com os outros, a capacidade de liderança e a implementação de um novo projeto.

Eis o paradoxo da realização: só é possível acreditar na própria capacidade de alcançar alguma meta quando se está aberto ao contínuo aprendizado e aprimoramento. Quando uma vocação se materializa, um sonho se torna realidade ou uma missão se transforma em conquista, acontece o que chamo de sucesso.

Querer não é poder!

Por que tanta gente, apesar de estabelecer objetivos, não consegue dar o primeiro passo para concretizá-los? Em grande parte, isso ocorre graças a uma das certezas mais arraigadas entre nós: a crença de que querer é poder.

Essa é uma idéia infantil. Basta olhar em volta e responder: será que milhões de pessoas miseráveis não querem muito ter ao menos uma pequena casa para abrigar a família? É óbvio que sim.

A afirmação *querer é poder* subentende um argumento perigoso: o de que nossos desejos têm, por si sós, o poder de transformar o mundo. Levada às últimas conseqüências, essa idéia sugere que as realizações sejam construídas em um passe de mágica, como nos contos de fadas. O resultado disso é que as pessoas acabam investindo muita energia no plano do querer, a mesma energia que poderiam utilizar no plano do fazer.

O querer, quando não está acompanhado pela determinação do fazer, gera apenas tensão. Em vez de repetir "quero um carro, quero um carro, quero um carro", é muito mais produtivo dizer uma única vez "vou comprar um carro" e tratar logo de trabalhar para conseguir o dinheiro necessário.

As metas devem ser estabelecidas e atingidas, e não cultivadas e admiradas. De nada adianta imaginar como é o topo da montanha sem sair do lugar.

O melhor, portanto, é trocar o verbo. Em vez de "querer é poder", diga apenas: "*fazer* é poder". Esse é o verbo do verdadeiro vencedor.

Mais algumas idéias sobre vencedores e perdedores

Quando se fala em vencedor, logo vem a imagem de alguém muito competitivo, sem ética e invariavelmente solitário.

Na verdade, vencedor é aquele que consegue atingir seus objetivos com consciência e ética. Vencer só por vencer pode ser o caminho da derrota. Vencer pisando nos outros gera apenas o desprezo dos colegas. O vencedor autêntico sabe que a verdadeira batalha ocorre sempre dentro do coração. Mais do que vencer os outros, ele vence as próprias fraquezas, inseguranças e inabilidades.

A postura diante da possibilidade de derrota é um dos principais aspectos que diferenciam um vencedor de um perdedor.

O vencedor se prepara adequadamente para que a derrota não se concretize. Mas, apesar de ter essa consciência, ele sempre concentra a atenção em alcançar suas metas, e não em evitar as derrotas.

Enquanto o vencedor estuda os pontos fracos e fortes dos oponentes, o perdedor é arrogante a ponto de desprezar o adversário e por isso freqüentemente é pego de surpresa.

Enquanto o vencedor estuda todas as alternativas e cria estratégias diferentes, o perdedor só tem uma estratégia — e se fixa nela como se fosse a única tábua de salvação. Muitas vezes a solução está bem ali, ao lado, mas sua insegurança o impede de arriscar outro caminho.

Perante o desafio, o perdedor tem duas atitudes básicas: o menosprezo e o pessimismo. Nesse caso, a pessoa acredita que nasceu marcada para perder. Entra nas disputas já preparando uma desculpa para a derrota. No campo profissional, costuma aceitar os desafios de má vontade, com o único propósito de provar, no final, que tudo ia dar errado.

Como o perdedor não acredita em si mesmo nem em sua capacidade de realizar, tenta manipular os outros para que se sintam obrigados a assumir suas responsabilidades. Vive como um pedinte. Pede amor, compreensão, piedade e, quando não os recebe, julga os outros injustos por negar o que ele queria.

O perdedor também se satisfaz em apenas começar uma tarefa. Se ele telefona para alguém e o número está ocupado, não liga novamente. Não procura na lista telefônica um número alternativo, não busca outro meio de fazer a tarefa, que depende, em princípio,

O trabalho é fundamental, mas não deve ser a única maneira de encontrar a felicidade. Hoje em dia há muitas pessoas que somente sabem sentir-se bem quando estão trabalhando. Infelizmente existem muitos viciados em trabalho. Essa é a mesma situação da pessoa que só se sente feliz quando bebe. Em ambos os casos, o indivíduo fica dependente de algo para viver.

daquele telefonema. Está muito mais preocupado em explicar por que não consegue fazer seu trabalho do que em completá-lo.

Mantém uma estrutura perdedora à sua volta. As pessoas a quem ele se associa, seu local de trabalho, tudo cheira a fracasso. É desorganizado e não tem método. Especializa-se em problemas. Cultiva, rega e colhe problemas. Entra na sala do chefe e sente um prazer quase físico ao vê-lo desesperar-se com aquele problema novinho em folha.

O perdedor nunca dá mais do que lhe pedem. Prefere fazer menos porque ganha pouco a fazer muito para merecer mais. Como não se importa com o resultado de seu trabalho, espera apenas que o expediente termine, que o dia termine, que a vida termine. Sua única conquista será a aposentadoria — que virá por si própria, faça ele o que fizer.

O vencedor sabe que o fato de não conseguir algo faz parte da vida. Se você prestar atenção, notará que aproximadamente metade do que faz não dá, no início, o resultado esperado. Você telefona e a pessoa não está. Procura um livro e não encontra. A diferença entre o perdedor e o vencedor é que, enquanto o primeiro se revolta contra o mundo e contra todos, o segundo tem a capacidade de perseverar em face das dificuldades.

O perdedor desiste diante de qualquer obstáculo e sai à procura de outro projeto na ilusão de que vai encontrar algo na vida que não lhe traga problemas. Triste ilusão, a vida sempre tem suas encrencas. Nem Cristo prometeu um mar de rosas a seus seguidores. Lembre-se de que Ele disse aos discípulos: "Quem quiser me seguir, que pegue sua cruz e venha!" Ele não prometeu carregar a cruz de ninguém. As pessoas que acham que vão encontrar uma maneira de não ter cruz para carregar acabarão tendo de suportar a cruz do fracasso, a pior que existe.

Quando não consegue realizar seus objetivos, em vez de reclamar da vida, torturar-se e culpar-se, o vencedor vai refletir sobre suas condutas para aprender e crescer. Ele sabe o que quer, procura não se desviar de sua rota, consegue estipular o tempo necessário para alcançar suas realizações. Quando se sente capaz de conquistar um emprego ou um cargo melhor, jamais se concentra no pensamento de que "isso não é para mim". Em vez disso, pergunta a si mesmo: "O que preciso fazer para consegui-lo?"

O vencedor não gasta seu tempo com crises existenciais inúteis. Se seu desejo é ser pintor, sabe que precisa estudar, dedicar-se, terminar as telas de sua primeira exposição individual. Tem consciência de que o sucesso não cairá em seu colo se ele não correr atrás, se não fizer acontecer. O vencedor não antecipa as críticas nem se deixa paralisar pela hipótese de as pessoas não gostarem de seus quadros. Ele simplesmente os faz.

O vencedor tem o coração aberto e apaixonado. Aliás, se faz muito tempo que você não se apaixona, seja por alguém, seja pelo trabalho, encare essa falta de envolvimento como uma doença grave. Pode ser que a paixão produza alguns ferimentos e escoriações, mas ainda é uma das maneiras mais sublimes de se sentir vivo.

O vencedor sente prazer no aprimoramento constante. Para ele, aprender algo novo é sempre motivo de fascínio. Quer descobrir o que há no outro lado da montanha.

Ele sabe agradecer. Agradece não só às pessoas que lhe deram a mão na subida como também àquelas que lhe criaram obstáculos, pois compreende que os empecilhos são grandes professores. São como aqueles pesos usados no treino das jogadoras de vôlei para que elas saltem mais alto quando chegar a hora do jogo.

Sucesso e fracasso

Sucesso é algo muito pessoal. Assim como cada pessoa é única, a realização também não admite comparações — nem de qualidade nem de quantidade. Quem teve mais sucesso: o cientista que ganhou o Prêmio Nobel ou o ator que recebeu o Oscar? O fazendeiro que tem 10 mil cabeças de gado ou o agricultor que é dono de um pequeno sítio?

A única resposta possível é: depende do objetivo de cada um. Há muita gente que, sinceramente, não quer ser milionária e detestaria ser famosa — só para citar duas idéias comuns de sucesso. Para essas pessoas, o trabalho de administrar muito dinheiro e a falta de privacidade que a fama acarreta talvez sejam pesos desnecessários.

Sucesso e fracasso, portanto, devem ser entendidos como conceitos relativos, que variam de acordo com os projetos de vida pessoais.

Uma crença comum é a de que para ter sucesso basta tomar uma série de atitudes e para chegar ao fracasso basta não tomar essas mesmas atitudes. Não é assim. Sucesso e fracasso exigem comprometimento diário. Tanto quanto o sucesso, o fracasso também é resultado de estratégia e dedicação!

As pessoas não se dão conta, por exemplo, de que o fracasso de um casamento é resultado de uma estratégia de desrespeito levada a cabo, durante anos a fio, com a maior dedicação. Quando o casamento acaba, parece que o casal é pego de surpresa, como se a separação não tivesse sido uma obra meticulosamente realizada pelos dois.

Muitas pessoas que não conseguem encontrar um parceiro afetivo dão centenas de desculpas para explicar sua falta de êxito. Reclamam que o namorado fala muito alto, não sabe se portar direito à mesa ou não gosta de determinado tipo de música. Em vez de criticar os outros, essas pessoas deveriam, isso sim, analisar a estratégia que utilizam para afastá-los — caso contrário, continuarão sozinhas.

Da mesma forma, há uma estratégia infalível para não conseguir um emprego: chegar atrasado à entrevista, ser arrogante com o entrevistador, dar ênfase às incapacidades, mendigar o cargo e assim por diante.

Desse ponto de vista, pode-se dizer que todo mundo tem sucesso, mas alguns, inconscientemente, têm metas perdedoras, como ficar sozinhos, não ser valorizados ou depender a vida inteira de outras pessoas.

Quando uma criança percebe que seus pais se sentem felizes ao vê-la dependente deles, leva para a vida adulta um tipo de comportamento que a conduz sempre ao fracasso. Tenta se acertar na vida, mas tudo acaba dando errado. Consegue ser bem-sucedida nas metas de ficar desempregada, sem clientes, sem dinheiro, dependente. Ela estrutura e concretiza com êxito metas de fracasso.

Sua vida, quer ela lhe agrade, quer lhe desagrade, é o resultado de sua dedicação em criá-la desse jeito. Se você deseja que algo diferente aconteça, comporte-se de maneira diferente. E vá atrás, com toda a sua força, dos verdadeiros objetivos que estabeleceu para si mesmo.

O lado humano do vencedor

Talvez você se pergunte se o vencedor é um ser perfeito, livre de qualquer problema ou dificuldade. É lógico que não! Todos somos vencedores e perdedores ao mesmo tempo. Vencedores em um aspecto, perdedores em outro.

Observe, por exemplo, o empresário bem-sucedido que não consegue amar ninguém, a esposa perfeita que tem medo de voltar a estudar, o engenheiro desempregado que tem de pedir dinheiro aos pais, mas, por outro lado, é muito amigo dos filhos e tem um casamento feliz. Ser um vencedor não é ser melhor do que ninguém. É ter a capacidade de tornar-se uma pessoa melhor a cada dia.

É muito triste observar as pessoas que se sentem vencedoras e olham os outros com superioridade, rotulando-os de perdedores. Na verdade, essa comparação é um sinal de pobreza de espírito. Quem age dessa maneira é um pobre que tem apenas dinheiro.

O que conta na vida é saber se o balanço dos aspectos vencedores e perdedores se revela positivo ou negativo. Se seu balanço for positivo, você está alcançando o sucesso. Se for negativo, a tendência será criar frustrações — e, nesse caso, é preciso mudar.

Por isso, antes de passar ao próximo tópico, que descreve o vencedor em detalhes, quero deixar claro que cada aspecto ali apresentado é apenas um referencial para que você reflita sobre suas aspirações e seus valores. Aproveite para fazer um balanço pessoal sobre o que é importante para você e observe as características que precisa desenvolver para criar a vida que deseja viver.

Como o vencedor é

O vencedor é aquele que adota uma postura básica de determinação para vencer. Essa postura se compõe de uma série de características. Veja algumas delas em seguida.

É confiável

Muita gente pensa que ser confiável é apenas ser honesto no que se faz e no que se diz. De fato, a pessoa confiável é alguém que se pauta pela verdade, ainda que incômoda, mas ser confiável também significa saber manter os compromissos. Uma pessoa que faz promessas e não as cumpre é alguém que deixa de ser confiável.

Se você disser que vai entregar determinado trabalho ao seu chefe e depois não fizer isso, passará a ser considerado alguém que não cumpre o que promete e, na próxima vez que prometer outra coisa, ele o olhará com desconfiança, pois saberá que o risco de não receber o combinado será alto.

Saiba que as organizações preferem os bons profissionais, que estão presentes todos os dias e cumprem os prazos, àqueles que, apesar de ótimos, são imprevisíveis.

Muitos gênios acreditam ter o direito de ser desorganizados e temperamentais, pretendendo criar regras especiais para si mesmos na empresa. Acham que as organizações têm a obrigação de suportar seus caprichos e suas excentricidades. O vencedor sabe que, apesar de seu talento, quando trabalha em grupo deve cumprir sua função na equipe. Sabe também que o respeito aos compromissos assumidos, além de despertar a admiração dos colegas, motiva todos a criar um trabalho admirável.

Aliás, muitas vezes a pessoa confia demais na própria capacidade e não percebe que o sucesso exige mais que talento. Alguém menos talentoso, porém mais determinado, pode eventualmente chegar mais longe. Talvez seja o jornalista que aprimora seu texto, o dentista que está sempre se atualizando em novas técnicas, o empresário que aprende a respeitar o consumidor ou a secretária que estuda inglês para ampliar suas capacidades.

Outra característica da pessoa confiável é a coragem. Quando alguém se omite ou se afasta em um momento crítico por medo de se comprometer ou de se envolver no problema, perde a confiabilidade. É o caso da pessoa que prefere não se envolver nos problemas de um amigo. Freqüentemente uma amizade exige que os dois se arrisquem juntos. A confiança é a grande recompensa da ousadia.

O vencedor inspira confiança em tudo o que faz. Sabe que o primeiro compromisso é com ele próprio. Mantém sua palavra não porque será cobrado (ainda que cobrar o prometido seja um direito do outro), e sim porque sempre dá o máximo de si.

É humilde sem ser modesto

Muitas pessoas confundem humildade com modéstia.

Pergunte a Edson Arantes do Nascimento quem foi o melhor jogador de futebol do mundo. Ele vai responder imediatamente: Pelé. Não é modesto — nem seria bom que fosse. Sem nenhuma sombra de dúvida, Pelé foi o melhor jogador de futebol do mundo. Era, porém, humilde, pois sempre reconheceu seus pontos fracos e procurou aprimorar-se. Era o último a deixar os treinos e, em campo, lutava pela posse da bola, como qualquer novato, até o fim da carreira.

Quem é humilde sempre pensa em evoluir, e isso faz com que busque o auxílio das pessoas certas, que lhe darão informações para poder crescer. O humilde sabe que é grande e se permite aprender com os outros.

O modesto, pelo contrário, mostra-se como se valesse pouco, mas por dentro se considera o maior do mundo. Não se aprimora porque acha que não precisa — nem existe ninguém que tenha capacidade de ensiná-lo. Não se dedica porque pensa que é o máximo. Mostra-se como mendigo, mas se sente rei.

Há uma história curiosa, atribuída ao barão de Itararé, um dos mais brilhantes humoristas brasileiros do passado, que exemplifica bem a forma como a falta de humildade pode ser prejudicial. Durante uma aula na faculdade de Medicina, seu professor, uma pessoa arrogante que considerava os alunos uns pobres miseráveis, lhe perguntou:

— Quantos rins nós temos?

— Quatro — respondeu o barão de Itararé.

— Quatro? Isso é um absurdo. Até uma criança de 3 anos sabe que temos dois rins.

O professor olhou para outro aluno e, tripudiando sobre o barão, pediu:

— Vá lá fora e traga um feixe de capim para esse burro se alimentar.

Itararé não perdeu o bom humor:

— E, para mim, um cafezinho.

Irado, o professor decidiu expulsá-lo da sala. Itararé se levantou calmamente, abriu a porta e, antes de sair, disparou:

— O senhor perguntou quantos rins nós temos. "Nós" temos quatro: dois meus e dois seus.

Por ser extremamente arrogante, o professor não percebera o duplo sentido de sua pergunta, que não passou despercebido ao aluno brilhante.

A pessoa humilde sempre aproveita as oportunidades, mas as arrogantes sempre acabam recebendo as lições da forma mais dolorida.

Segue sempre crescendo

Um vencedor está sempre se aprimorando. Desenvolve um genuíno interesse não só por seu trabalho como também por tudo o que diz respeito a ele. Na empresa, quer aprender novos softwares, estudar técnicas de liderança, manter-se atualizado, conversar sobre novos projetos, desenvolver a capacidade de trabalhar em grupo.

Não importa a idade, não importa nem sequer quanto já realizou, ele tem o impulso de ir sempre adiante. Tranqüilo e sereno, vai desvendando os mistérios da existência. Já conheci mulheres de 90 anos que aprendiam técnicas de jardinagem e milionários que estudavam mitologia grega.

O vencedor não sabe apenas que precisa crescer: ele traz dentro de si o desejo de ampliar conhecimentos e habilidades. Não depende dos outros. Não é como a pessoa que acredita que o importante não é saber, e sim ter o telefone de quem sabe. Esqueça essa teoria.

O vencedor também sabe crescer intimamente, conhecendo-se cada vez mais e aprendendo a gostar de si mesmo. Para ele, o impulso que leva ao crescimento é poderoso e inevitável — torna-se impossível fugir dele.

Tem postura de vencedor

Todo mundo reconhece um vencedor. Seu corpo expressa auto-estima. Suas palavras são puro compromisso. Seus gestos são precisos. Ele não tem vergonha de suas limitações, mas, principalmente, não tem vergonha de ser competente no que faz!

Quando não sabe, pergunta.

Quando não pode, não promete.

Quando promete, cumpre.

Quando sabe, assume.

Quando assume, faz.

Acima de tudo, porém, o vencedor tem uma energia que transmite confiança aos companheiros.

O perdedor assume uma postura derrotista até nas brincadeiras. Mesmo que saiba o que fazer numa situação qualquer, assume uma atitude de insegurança que mostra que está indeciso e confuso. A postura do perdedor impede que ele se una ao vencedor que existe dentro de si mesmo.

Uma antiga prática meditativa tibetana pode ser muito útil para recuperar essa energia. Olhe-se no espelho em um ambiente de penumbra. Fixe o olhar em seus olhos e comece a ligar-se ao vencedor que existe em você. Progressivamente, sempre se olhando nos olhos, deixe que essa energia vá aumentando, aumentando até que...

Pensa grande e dá o passo certo

Alguém vai descobrir uma substância que proteja definitivamente os dentes contra as cáries, e sem dúvida essa pessoa pode ser você.

Alguém vai ser governador do Estado, e nada impede que essa pessoa seja você.

Pensar pequeno e pensar grande dá o mesmo trabalho!

Na verdade, é muito mais fácil ser especial do que ser apenas mais um. No primeiro caso, você simplesmente estará realizando seu potencial. Para ser mais um, você terá de limitar sua força, andar com o freio de mão puxado.

Fazer uma cirurgia, por exemplo, dá trabalho. Fazê-la bem ou mal dá o mesmo trabalho. Que o cirurgião aproveite sua capacidade e faça uma cirurgia à sua altura. Lembro-me de uma propaganda que dizia: "Pense grande. Você já ouviu falar em Alexandre, o Médio?"

Alexandre, o Grande (século IV a.C.), foi um conquistador de povos e territórios que difundiu a civilização grega no Oriente. Será que ele ia para as batalhas com a metade de sua energia? Claro que não. Mas ele não era um líder que tinha apenas desejos e ambições. Ele planejava, jamais se precipitava. O bom cirurgião sabe que não deve apenas pensar em ser um profissional reconhecido, ele tem consciência de que atalhos terminam em derrotas e sabe construir sua competência passo a passo. Procura capacitar-se para fazer o que quer e vai atrás disso até conseguir. Sabe que os milagres existem, mas é necessário criar competência para fazê-los acontecer.

Sim, os milagres são feitos, não acontecem por acaso. Fazer um transplante de coração é um milagre, assim como reimplantar um braço. Recuperar uma empresa à beira da falência também é um milagre, e fazê-la crescer, um milagre maior ainda.

Falamos em santos que acalmaram feras, mas é comum esquecer verdadeiros milagres que testemunhamos. A mãe que consegue ajudar o filho que afundou nas drogas a retomar seu caminho, o terapeuta que ajuda o deprimido a sentir novamente prazer em viver, uma equipe de resgate que salva pessoas desesperadas no meio de um incêndio — todos estão realizando milagres.

Quantas pessoas não morreram de doenças cardíacas porque alguém que conhecia o milagre capaz de mantê-las vivas não estava por perto?

Quantas empresas não desapareceram porque não havia por perto ninguém capaz de fazer o milagre de lhes devolver a vida?

Milagres acontecem a nossa volta e vão acontecer cada vez mais porque o número de pessoas que pensam grande está aumentando. Pessoas que, com seu amor pelo próximo, criaram as condições ideais para que os milagres aconteçam.

Preste atenção aos milagres que estão em torno de você esperando por sua competência e dedicação para acontecer.

Sabe ser especial

Se você tiver de escolher entre ganhar mais e dar mais, não tenha dúvida: prefira dar mais.

Para o vencedor, não basta ser apenas mais um advogado. Ele quer entender de psicologia para apoiar melhor o cliente em vez de procurar soluções apenas momentâneas e estudar administração

O vencedor não sabe apenas que precisa crescer: ele traz dentro de si o desejo de ampliar conhecimentos e habilidades. Não depende dos outros. Não é como a pessoa que acredita que o importante não é saber, e sim ter o telefone de quem sabe. Esqueça essa teoria.

de empresas para ampliar seus conhecimentos e prestar uma assessoria específica.

Tornar seu trabalho especial é deixar de ser um profissional comum e se transformar em alguém que sabe aprimorar sua atuação. Ser aquele que, além de cuidar com competência dos interesses do cliente, tem uma atitude amorosa e protetora com ele.

Sempre dê mais que o combinado. O perdedor dá, no máximo, o que foi combinado. É adepto da seguinte filosofia: "Trabalhar nunca matou ninguém, mas... por que arriscar?"

Coloque-se no lugar de seu chefe. Quem ele pensará em manter no emprego em épocas de crise? E quem ele pensará em promover em épocas de crescimento? Em ambos os casos, quem oferece mais ganha mais.

O vencedor se identifica totalmente com seus objetivos. Observe um bom corretor em ação na Bolsa de Valores. Sua concentração é absoluta, como se existissem apenas ele e seu trabalho. Concentra-se de tal forma no pregão que o mundo em volta dele pode acabar sem que sequer perceba.

O vencedor não se contenta em ser eficiente nem eficaz. Ele quer ser efetivo. Eficiente é o funcionário de hospital que preenche as fichas corretamente e não se importa que as pessoas estejam ou não morrendo na fila. O eficaz preenche as fichas mais depressa e dá prioridade a quem está morrendo. O efetivo é o vencedor: inventa um jeito de acabar com a fila.

É cooperativo

Alguma vez você já foi contratado por uma empresa para exercer a função específica de derrotar os colegas? Tenho certeza que não. A menos que você seja um jogador profissional de pôquer, por que deveria ter prazer com a derrota alheia?

O verdadeiro vencedor sabe dividir os louros da vitória com os companheiros. Fico contrariado quando estou vendo uma partida de futebol e o jogador que acaba de marcar um gol empurra os companheiros que se aproximam para abraçá-lo e depois corre sozinho em direção à torcida para ser aplaudido isoladamente. Ele não percebe que, com esse gesto de egoísmo, está mostrando aos outros jogadores que não sabe valorizar a equipe.

O vencedor procura motivar a equipe para que todos dêem o melhor de si.

Sabe oferecer uma palavra de incentivo quando um companheiro está desanimado.

Não tem medo de ensinar tudo o que sabe aos alunos porque percebe que aprende ensinando.

Não tem medo de ensinar seus segredos aos colegas de equipe porque sabe que um time forte vai levá-lo a mais conquistas.

Tem prazer em dividir os louros da vitória e entende que, quanto mais gente competente houver em sua equipe, melhores serão os resultados.

Sabe ser cooperativo, pois tem certeza de sua capacidade e sabe que sempre haverá um lugar especial para ele.

Associa-se a vencedores

É possível identificar um vencedor desde cedo. Ele pode ser novato, iniciante, estar em fase de aprendizagem, mas, apesar de sua inexperiência, tem a vocação de um vencedor.

Sabe respeitar e valorizar o aprimoramento e o conhecimento dos colegas. Não se associa àqueles que sempre se julgam coitados ou vítimas porque essas pessoas, mesmo exigindo pouco, o aborrecem bastante, pois tiram sua paz. Estão sempre carentes, querem chamar a atenção para si mesmas.

Um vencedor não imagina ser o salvador da humanidade. Sabe que as outras pessoas têm capacidades e devem cumprir seus compromissos e, quando isso não acontece, algo precisa ser feito para resolver a questão.

Não se propõe fazer a tarefa alheia nem dá palpites sem ser solicitado. Sabe que, se tratar o outro como criança incompetente, vai estimulá-lo a se acomodar, o que provocará sobrecarga para ele próprio ou uma grande angústia, acompanhada de cobranças exageradas.

Respeita sua vocação

Quando escolhe a carreira, o vencedor pensa principalmente em sua vocação. Talvez tenha dúvidas sobre se ganhará muito dinheiro fazendo o que gosta, mas em geral essa é sua opção. E, baseado nessa decisão, desenvolve as competências necessárias para sua profissão e se realiza dignamente.

Mas o que é vocação? O termo vem do latim *vocare,* que significa "chamado". Por extensão, vocação quer dizer "atender ao chamado", e o primeiro chamado a ser atendido é o do coração. Ele vai orientá-lo sobre o caminho a seguir. E também questioná-lo em momentos decisivos cada vez que a dignidade de sua vocação for ameaçada.

Pare um pouco e reflita: você tem ouvido seu coração? Quantas vezes, nos últimos meses, você teve a intuição de que deveria agir de determinada maneira e acabou adotando uma postura justamente oposta porque a razão assim exigiu? Agir racionalmente é bom, pois isso significa que você costuma avaliar bem os aspectos positivos e negativos de uma decisão e sabe analisar os riscos envolvidos. Mas há momentos, principalmente quando parece que a solução jamais será encontrada, em que a intuição pode e deve falar mais alto. É nessas ocasiões que o coração se manifesta apontando o caminho que a maioria das pessoas — e você próprio — não está enxergando.

Alguns músicos dizem que só faz sucesso quem compõe canções comerciais e produz um trabalho menor, afinado com os interesses das gravadoras. Esse pensamento é uma ofensa ao trabalho de gênios como Tom Jobim, Caetano Veloso e Milton Nascimento. Alguém seria capaz de afirmar que um deles deixou seu coração de lado para ter sucesso?

É ético

O vencedor respeita seus valores e as pessoas. Sabe que às vezes esse respeito pode retardar a colheita dos resultados de seu trabalho, mas não se importa com isso. Prefere esperar o momento certo. Não conquista suas vitórias caminhando sobre cadáveres. Não utiliza artifícios desonestos — primeiro porque contrariam seu coração e depois porque sabe que esse tipo de vitória destrói a confiança e o respeito que sente por si mesmo.

Uma história antiga conta que certo dia um rei já muito velho foi procurado pelo filho, que lhe disse:

— Meu pai, penso que está na hora de me preparar para assumir o trono. O tempo está passando e, quando chegar a minha vez, quero ser um grande rei para nosso povo. O que o senhor me sugere?

— O mais importante é saber o que é moral. Procure meu mestre para aprender com ele sobre a moral — respondeu o rei.

O príncipe foi até a pessoa indicada, um mestre ainda mais velho que o rei, e contou-lhe o que desejava. Depois de ouvi-lo, o mestre disse:

— Eu sou professor de artes marciais. Nada sei sobre moral.

O príncipe pensou: "Pode ser que meu pai esteja equivocado. Mas, se ele me mandou aqui, deve haver alguma razão". E ficou.

No dia seguinte, iniciaram o treinamento. E o mestre começou:

— Cada vez que eu me aproximar e você não perceber, vou lhe bater com meu bastão.

O príncipe pensou: "Eu sou jovem, ele é velho. Ficarei alerta e vai ser fácil vê-lo chegar".

Depois de algum tempo, porém, o príncipe começou a se distrair, ora com o canto de um pássaro, ora com o som do vento. Nesses momentos, o mestre se aproximava como num passe de mágica e lhe batia. Mas o príncipe começou a prestar tanta atenção que, tão logo o mestre chegava, ele pressentia e dava o sinal. O mestre decidiu aprofundar os treinamentos:

— Até agora eu só lhe bati nos momentos em que você estava desperto, mas a partir deste instante vou lhe bater quando você não perceber que estou me aproximando durante seu sono.

O príncipe pensou: "Vou ficar sem dormir até ele se cansar".

Na verdade, depois de algum tempo, quem se cansou foi o príncipe. O mestre se aproximava e, vendo o rapaz adormecido, batia-lhe com o bastão. Novamente o príncipe entrou em tal estado de alerta que, mesmo dormindo, era capaz de pressentir a presença do velho.

O mestre decidiu que no dia seguinte descansariam antes das próximas lições. Tomavam sol quando o príncipe pensou: "Quero ver se esse velho é capaz de pressentir minha aproximação. Vou pegar o bastão e lhe dar uma paulada". Quando o príncipe iniciou o movimento para se levantar, o velho disse:

— Nem tente. Se você se aproximar, vai levar uma surra que fará com que nunca mais se esqueça de mim.

O príncipe ficou surpreso com a perspicácia do velho e continuou relaxado, tomando sol. Foi a vez de o velho pensar: "Menino abusado. Vou lhe dar uma lição". Quando ia levantar-se, porém, ouviu do rapaz:

— Nem tente. Se você se aproximar, vai levar uma paulada que nunca mais vai esquecer.

O velho então se aproximou, olhou carinhosamente o rapaz e disse:

— Agora você pode ir. Já aprendeu a lição. Moral é algo que nasce de nosso estado de atenção, de nossa consciência. Quando ouvimos nosso coração, sabemos sempre ser justos.

A ética nasce de uma atitude de amor e respeito pelo outro e por si mesmo. É saber ouvir o coração e deixá-lo guiar seus atos. Eis a ética do vencedor.

Aproveita as oportunidades

Uma das características que distinguem o vencedor do perdedor é o faro. O vencedor pressente o desenvolvimento de uma situação. Quando a oportunidade chega, ele já está preparado para aproveitá-la.

Um bairro vai ser supervalorizado daqui a cinco anos? O vencedor constrói um prédio lá. Dentro de 45 dias a novela das oito chegará ao final? Então o publicitário se arma desde já para aproveitar o ibope elevado desse dia. Consulta clientes que gostariam de anunciar, avalia propagandas exclusivas para a data. Procura tirar o máximo de uma oportunidade de ouro como essa.

Não pense que a intuição é apenas um talento. Ela pode ser treinada. O vencedor não é uma cartomante que prevê o futuro. Ele está sempre alerta, ligado, atento. Faz pesquisas, analisa os resultados, procura ver as coisas com profundidade para perceber as oportunidades que podem estar ao seu alcance.

O perdedor muitas vezes não consegue enxergar nem o óbvio — como na piada em que o jornalista novato volta de mãos vazias para a redação e diz ao editor: "Não deu para fazer a reportagem sobre a inauguração da ponte. Imagine que ela caiu e o governador morreu antes de inaugurá-la!"

A habilidade de saber aproveitar as oportunidades é desenvolvida no início da carreira. Qual foi sua atitude com relação aos mestres? De respeito ou de confronto? De admiração ou desprezo? Quando somos bem jovens, a tendência é desafiar os mestres para saborear nossa capacidade de enfrentá-los.

Magy Imoberdorf, uma das maiores publicitárias do país, dá este conselho a quem está começando: "Escolha um mestre e não o conteste. Acredite nele e faça tudo o que ele disser. Mais tarde, você terá muito tempo para fazer as coisas do seu jeito. Porque, quando conseguimos um bom mestre, temos de aproveitar. Existem poucos, e eles têm mais o que fazer do que aturar contestações ou indisciplina de jovens que nada sabem".

Se você quer aprender, não espere ser mimado. Você está lá para receber uma informação, e não um "muito obrigado por ter me ouvido".

Tem alto-astral

E ter alto-astral significa, em primeiro lugar, sorrir.

O vencedor sabe brincar numa dificuldade sem brincar com a dificuldade. Sabe que, apesar de ter um problema pela frente, não precisa ficar tenso nem pessimista. É como naquela piada do encanador que chegou à casa inundada, encontrou a dona em prantos e disse: "Minha senhora, por favor, pare de chorar porque as lágrimas só vão piorar as coisas".

Quando sua equipe é tomada pelo desânimo, o vencedor não se deixa levar por esse espírito negativo. Sabe contagiar os outros com sentimentos de confiança e otimismo.

O vencedor não tem só bom humor, ele tem carisma, mantém um contato gostoso com as pessoas, transmite uma energia boa — mesmo nas desilusões. Quando o vencedor sofre um revés, consegue brincar consigo mesmo. É bem diferente da pessoa que acredita que a pior das sextas-feiras é preferível à melhor das segundas-feiras. Ela só se sente feliz no fim de semana. Deixa de viver intensamente nos outros dias para relaxar e aproveitar tudo o que o mundo oferece de bom somente nos fins de semana.

Aproveita as lições do passado

O vencedor é alguém que aprende as lições da história. Quando uma situação se repete, só há duas opções: ou se mantém o enredo ou se muda o final.

Se o "filme" foi ruim, o vencedor se lembrará de cada detalhe e saberá transformá-lo numa situação favorável. Agindo assim, ele abandona o passado como vivência (pois a vida real é sempre agora) e o guarda como experiência.

Quando alguém vive no passado, sente saudade do que acabou, culpa por algo que perdeu ou ressentimento de pessoas de quem esperava um comportamento diferente.

O passado, para o vencedor, é como um livro na estante. Está sempre disponível, ao alcance das mãos. Pode ser aberto a qualquer momento, pois traz muitas lições. Mas permanece fechado, em seu devido lugar.

Tem visão de futuro

Assim como o passado, o futuro também pode ser uma bússola ou uma venda nos olhos. A escolha é sua.

Se você estiver agindo com a certeza de que investe em seu futuro profissional e for chamado de bobo porque ganha pouco em um emprego que lhe ensina muito, não se incomode. Você terá a oportunidade de responder mais tarde.

O dinheiro pode ser importante, mas a carreira é fundamental. Às vezes alguém sai de uma empresa onde, apesar de sua capacidade, é um simples funcionário para ir para outra onde será diretor. Terá poder, comandará uma equipe. Mas talvez não aprenda muito, pois não viverá a experiência do aprendizado. Portanto, não tenha pressa de mandar. Se quiser ter pressa, que seja de aprender.

Algumas pessoas querem montar um negócio próprio na ilusão de não ter mais de suportar críticas nem exigências de um patrão. Ledo engano. O empresário sempre tem o mais crítico dos patrões: o consumidor, que não conversa com ele quando erra, mas o "demite" pura e simplesmente, procurando um concorrente que o atenda melhor.

Muitas empresas novas fracassam porque nasceram como soluções mágicas para pessoas que estavam enfrentando dificuldades no emprego, e não como legítimas vocações de seus criadores. É o caso, por exemplo, de gerentes que não conseguem se relacionar com o chefe nem com os subordinados e acabam transferindo essa dificuldade para os clientes da empresa que resolveram fundar. É o Sísifo em ação novamente.

Não tenho nada contra montar uma empresa: muitas vezes essa é a opção que se encaixa melhor na personalidade do indivíduo. Ter um negócio próprio só não pode ser desculpa para deixar de se aprimorar.

Sua empresa será grande se nascer de seu crescimento, e não de sua dificuldade de resolver conflitos. Se nascer da coragem, e não do medo. Se nascer de seu entusiasmo, e não de seu desânimo!

Não faça como o estudante que sai de uma escola exigente e vai para outra mais fraca em vez de estudar mais. Quando ele enfrentar um vestibular, sua deficiência de estudo reaparecerá em proporções bem mais dramáticas.

O vencedor não distorce a essência de sua carreira. Respeita-a e cuida dela com muito carinho. Sabe traçar seu plano de vida com base nas coisas em que acredita.

É firme e flexível

Muita gente confunde firmeza com rigidez e flexibilidade com fraqueza.

"Não admito que me contrariem!", diz o rígido.

"Será que estou agradando?", pergunta o inseguro.

Nessa conversa de surdos, todos saem perdendo. O rígido perde a chance de ouvir boas sugestões dos subordinados e o inseguro perde a oportunidade de se afirmar.

O vencedor sabe ouvir os colegas e assume a responsabilidade por suas decisões.

Sabe tomar uma decisão inadiável. Ele faz o que tem de ser feito sem pestanejar. É o caso, por exemplo, do médico que, diante de uma situação de sofrimento fetal, desagrada a mãe, que sempre quis ter parto normal, e faz uma cesariana, pois, a cada minuto que passa, aumentam os riscos de o bebê nascer com problemas.

A firmeza e a flexibilidade se completam como as duas faces da mesma moeda. A flexibilidade impede que o firme se torne rígido e a firmeza impede que o flexível se torne fraco.

Um antigo sábio oriental observou que o peso da neve é capaz de quebrar os galhos mais duros das árvores, mas não consegue o mesmo com os galhos mais flexíveis. Estes se inclinam até que a neve caia, voltando, em seguida, ao seu lugar.

Tem boa capacidade de comunicação

O vencedor sabe ouvir, sabe ver o que está acontecendo, sabe transmitir o que sente, sabe defender aquilo em que acredita. Essa é uma capacidade fundamental.

Tenha certeza de uma coisa: quem não sabe ouvir não sabe se fazer entender. Comunicar-se bem significa estar em sintonia com o outro, falar a mesma linguagem, conhecer o interlocutor, considerar o que ele sente e não lhe impor o que você quer.

Se ele ainda não sente necessidade do produto que você tem a oferecer, venda-lhe essa necessidade! E isso não se aplica apenas à venda de produtos: é válido também para sua imagem, suas opiniões ou mesmo suas idéias.

Você sabe por que a maioria dos inventores morreu na miséria? Porque eles não souberam vender sua idéia. Uma idéia na cabeça não vale um tostão. É preciso concretizá-la para que ela tenha sucesso.

Às vezes o inventor precisa convencer, com todas as técnicas e os recursos que estiverem a seu alcance, uma grande empresa a apostar em sua idéia. Só então ela deixará de ser uma idéia e poderá florescer como realidade.

O vencedor não distorce a essência de sua carreira. Respeita-a e cuida dela com muito carinho. Sabe traçar seu plano de vida com base nas coisas em que acredita.

É um bom vendedor de si mesmo

O vencedor sabe vender seu produto, seja ele qual for — competência, trabalho ou mercadoria.

A primeira regra do bom vendedor é o entusiasmo. Muitas vezes o que a pessoa compra é principalmente o entusiasmo do vendedor. Para ter entusiasmo, é preciso gostar do produto. Para gostar dele, é preciso conhecê-lo.

Esse produto pode ser sua capacidade de prestar uma consultoria, sua competência como secretária, um novo alarme para carros que você inventou. Se o possível comprador sentir que você gosta de seu produto, alguma coisa vai atraí-lo.

Outra sugestão: ajude o comprador a conhecer seu produto. Quando for a uma entrevista de emprego, além de se vestir de acordo com a situação, fale a linguagem do entrevistador. Faça como a professora de pré-escola que sabe falar a linguagem da criança ou a enfermeira de uma clínica geriátrica que fala a linguagem do ancião. Descubra a linguagem do interlocutor para facilitar a comunicação.

Há pessoas que depõem contra a imagem de seu produto. Expõem suas inabilidades, suas derrotas, queixam-se de que os outros as fazem sofrer, de que o produto que vendem apresenta defeitos. Procure sempre aprimorar seu produto e saiba que, qualquer que seja ele, ficará associado à sua imagem.

No fundo, o vencedor sabe que aquilo que está realmente colocando no mercado é sua imagem de vencedor.

Sabe dar uma energia extra

De onde vem toda a vitalidade do vencedor? Essa é uma pergunta que nos fazemos quando deparamos com uma pessoa de sucesso.

Temos três tipos de energia: a muscular, a do herói e a do sábio.

A energia muscular é a que mais conhecemos. Ela é periférica e termina quando chega o cansaço.

A energia do herói é mais profunda e não está disponível o tempo todo para a maioria das pessoas. Em geral, começa quando acaba a energia muscular. É a energia do herói que possibilita a um pai que chega em casa exausto do trabalho e descobre que a filha está ardendo em febre cuidar dela como se seu dia estivesse começando. Ele a leva ao hospital, passa a noite em claro e nem percebe que o dia amanheceu.

A terceira energia, a do sábio, é muito especial. A pessoa já não existe como ego, ela pura e simplesmente faz uma conexão sem limites com o universo.

O vencedor possui a energia do herói. Utiliza-a sempre que necessário. O perdedor, não. Mesmo sem querer, a partir de determinado momento o perdedor não produz, apenas atrapalha.

E a energia do sábio? Ela se desenvolve à medida que você realiza seus objetivos, aprende a se desapegar do *eu* e se integra ao *nós*.

Uma vez um discípulo perguntou ao mestre: "Você me ama?"

"Nós somos o amor", o mestre respondeu.

Construindo o sucesso

O sucesso tem um caminho — não único, mas muito sólido. Esse caminho começa com a competência, prossegue com a remuneração e termina com o reconhecimento.

O vencedor sabe que não existem atalhos para uma carreira de sucesso. Pode fazer o percurso em que os outros demoram dez anos em apenas cinco, mas sabe que não pode queimar etapas. Dará um passo depois do outro, sem esquecer nenhum.

Às vezes um profissional chega ao sucesso sem estar preparado para ele. No entanto, se tiver consciência e bom senso, vai criar a base necessária para que o sucesso não seja uma brisa passageira, e sim uma construção bem fortificada.

Lembre-se: você pode acertar por acaso um grande negócio na primeira vez, mas a base é que garantirá a continuidade do sucesso.

Competência

A competência é a base de tudo.

Como dizia Eric Berne:

Saber por que fazer,

Saber como fazer,

Saber fazer.

Conhecer a teoria e a prática de cada procedimento, dominar seus detalhes, suas nuanças e variações — e também saber concretizar.

Alguns profissionais são excelentes teóricos, mas, na hora da prática, revelam-se um desastre (experimente dar uma tela a um crítico de arte ou uma bola a um comentarista de futebol! Isso seria um erro, pois sua vocação é a análise, e não a execução).

Outros sabem fazer, mas são apenas técnicos, pois não conhecem a profundidade de seu trabalho. Por isso é fundamental estudar. Estudar muito. Procurar as raízes, conhecer o assunto amplamente.

Perceba que estudar não é uma atividade exclusiva do estudante. O estudo é indispensável para todos os seres humanos de qualquer idade. Ajuda o profissional a ter, além de novos conhecimentos, base para novas idéias. Contribui também para que mantenha sua empregabilidade. Um profissional atualizado tem seu passe valorizado pelo mercado, que pode acenar com propostas de trabalho mais vantajosas.

O estudo é a única vacina conhecida contra erros antigos, pois nos põe em contato com os melhores mestres, imortalizados nos livros. É fundamental criar um ambiente favorável ao estudo, um lugar adequado que permita a boa concentração.

Ao mesmo tempo, é preciso praticar. Praticar muito. Sempre que puder, pratique. Se você é cozinheiro, pratique muito. Se você é cirurgião, pratique muito. Sempre que tiver a oportunidade de fazer seu trabalho, faça-o. Adquira experiência. Compare-a com as experiências descritas nos livros. Aprenda a lidar com as variáveis que aparecem a cada momento. Fazer muito é requisito básico para confiar em si mesmo. Hoje em dia ninguém pode ficar parado. A vitória sorri apenas para aqueles que jamais interrompem sua caminhada.

Adote um sistema de procedimentos. Crie uma seqüência em suas atividades para ter maior controle sobre elas, não esquecer nada no meio do caminho e ainda contar com energia de sobra para desfrutar seu trabalho.

Muita gente age cada vez de maneira diferente. Isso evita a rotina, mas provoca mais estresse. Procure desenvolver um método, como faz um cirurgião. Se ele tiver um bom método, será quase impossível esquecer uma gaze na cavidade abdominal de seu paciente.

Um conselho que vale principalmente para os iniciantes: não economizem no aprendizado. Se vocês querem ter sucesso, procurem sempre aprender com os melhores. Eles são caros, é verdade, mas ninguém pode ter uma coisa de valor (e não existe nada mais valioso que o conhecimento) sem pagar por isso.

Dinheiro

É fundamental, após adquirir competência, obter um retorno financeiro que lhe permita viver bem e continuar se aprimorando.

O dinheiro deve ser um meio de realizar seus desejos, e não um objetivo de vida. Quando a pessoa vive para acumular dinheiro, torna-se escrava. E nenhum escravo é feliz.

Além disso, o dinheiro não pode ser o primeiro objetivo de uma carreira, pois esse é o caminho mais rápido para abandonar a ética e se tornar um charlatão. Por essa razão, o dinheiro terá valor se surgir como conseqüência do trabalho bem realizado, e não como o próprio objetivo do trabalho.

Se você tiver a oportunidade de escolher uma entre várias ofertas de emprego, lembre-se de que a remuneração não é o único fator que conta. São importantes também o ambiente de trabalho, a personalidade do chefe e as oportunidades de aprender e poder fazer o que você realmente quer.

Muitas pessoas têm dificuldade de ganhar dinheiro porque, desde crianças, atribuíram pensamentos negativos a ele:

"Quem ganha dinheiro é pecador, pois o Reino dos Céus pertence aos pobres".

"Quem tem dinheiro é mesquinho e egoísta. Só tem dinheiro porque não valoriza os outros".

"Quem tem dinheiro é mercenário, só conseguiu enriquecer porque sempre trabalhou apenas para isso, e não por prazer".

"O dinheiro é sujo. Gente honesta não pode ganhar dinheiro. Os empresários em geral são corruptos. As mulheres, certamente, começaram sua carreira na cama".

"O dinheiro traz infelicidade e atrai desgraças. Quem tem dinheiro não tem amor".

Depois de passar a infância ouvindo frases desse tipo, o indivíduo cresce e percebe que não é necessariamente assim. Encontra muitas pessoas que contrariam cada uma das generalizações citadas acima. Mas permanece o conflito entre a realidade e a voz interior gravada na infância, dificultando o trato com o dinheiro.

Uma das formas inadequadas de lidar com o dinheiro é estabelecer um preço errado para o próprio trabalho. Alguns profissionais reclamam de não ter clientes sem se conscientizar de que seus preços estão muito acima dos praticados no mercado. Faz sentido cobrar preços acima da média apenas se o serviço oferecido for realmente muito especial e houver procura por ele. Outros profissionais não sabem se valorizar e não cobram o preço justo por seu trabalho porque têm baixa auto-estima...

Mas, afinal, o dinheiro traz ou não felicidade? A pergunta é tola. Se não houver apego excessivo ao ato de acumular dinheiro — quando ele tem de ser obtido a qualquer custo —, não haverá motivo para condená-lo nem santificá-lo.

Ponha o dinheiro no devido lugar: a serviço de sua realização.

Reconhecimento

Desenvolvida a competência e conquistada a segurança material, é chegado o tempo de usufruir o reconhecimento público por seu trabalho.

A ordem dessas coisas é importante, pois se você trabalhar desde o início com o propósito de receber elogios a tendência será a de se dispersar. No começo, o importante é que sua motivação seja sua vocação, seu desejo de aprender, sua dedicação, as instruções de seu orientador e o prazer de fazer um trabalho bem-feito.

O bom profissional deve ficar atento para não gastar muito tempo em busca de reconhecimento, evitando correr atrás da imprensa ou ir a festas para receber elogios. Esse tempo pode ser necessário para o contínuo aperfeiçoamento. Receber elogios é gostoso, porém o mais importante é o auto-reconhecimento.

Quando se fica famoso, é bom saber enfrentar alguns fatos.

Em primeiro lugar, a unanimidade é uma ilusão. Sempre haverá pessoas que não gostam de seu trabalho ou não concordam com suas idéias. Em geral, elas oferecem bom feedback apesar de, às vezes, causarem a impressão de ser inimigas. Até mesmo as críticas cheias de intenções negativas devem ser ouvidas com atenção. Uma vez desvinculadas de seu conteúdo emocional, podem ser analisadas para descobrir se há algo importante a considerar.

A imitação é um sinal de que seu trabalho está sendo reconhecido e não deve ser motivo de raivas infantis. É algo especial para alguém dedicado como você.

Como o mundo profissional ainda é bastante influenciado pela competição, a tendência é que todos desejem superar o melhor. Problema deles. Siga crescendo independentemente de estar por cima ou por baixo.

Se estiver por cima, tenha certeza de que um dia seu disco terá de sair da lista dos mais vendidos. Encare o fato com naturalidade. Afinal, isso já aconteceu até com os Beatles!

O importante é nunca perder o rumo do crescimento. Há conjuntos musicais, por exemplo, que são envolvidos de tal forma pelo redemoinho da fama e dos compromissos que param de crescer.

Os grandes mestres nunca param. Van Gogh, Bach, Nureyev, Picasso — todos tiveram a oportunidade de parar e dizer: "Pronto, estou satisfeito com minha obra". Em vez disso, seguiram em ascensão até o fim da vida.

Seu compromisso é principalmente com você mesmo. Não importa o que os outros digam, achem ou deixem de achar, o essencial é libertar a água que brota da fonte de sua criatividade.

Tenha em mente a diferença entre sucesso e fama. Sucesso é a capacidade de realizar bem. Essa capacidade é sua, ninguém vai tirá-la de você. Fama é o reconhecimento social do sucesso. Quando a pessoa relega o sucesso ao segundo plano e fica só com a fama, pode parar de se realizar.

O sucesso não se importa muito com a opinião das outras pessoas porque é uma realização do potencial do indivíduo. Quando alguém que conseguiu apenas um pouco de sucesso sai correndo atrás da fama, tende a se perder.

Dicas para quem está começando

Um pequeno roteiro para você, que está iniciando sua carreira:

1. Defina claramente seus objetivos e vá atrás deles. Para isso, você precisa saber claramente o que é de fato importante para você, o que deseja na vida. Uma vez feito isso, não saia do caminho que o levará até esses objetivos.
2. Escolha um orientador e aproveite seus conhecimentos (ou seja, siga suas instruções!). Muitas vezes é importante ter algum *coach* ou mentor que, com sua experiência de vida profissional ou pessoal, possa orientá-lo. Afinal, ele já viveu inúmeras situações e poderá ajudá-lo.
3. Não se preocupe em receber elogios, e sim em aprender. Elogios vazios, apenas para agradá-lo, não servem para nada, a não ser para massagear o ego. As críticas construtivas acabam sendo mais valiosas, pois conseguem fazer com que você aprenda mais.

4. Aprofunde-se naquilo que deseja ser. Mais uma vez: estude a fundo, busque informações, converse com pessoas que já trilharam o mesmo caminho que você pretende seguir.
5. Além de ter um bom produto, tenha uma boa embalagem e saiba vendê-lo.
6. Pratique o máximo possível. Fazer repetidamente alguma coisa proporciona autoconfiança, além de experiência.
7. Não gaste tempo com crises existenciais. De novo: decida o que você quer e vá em frente!
8. Lembre-se: sucesso é conseqüência, não objetivo.

Dicas para quem está no auge

Se você tem sucesso, sua carreira frutificou ou sua empresa prosperou, considere alguns pontos de reflexão para continuar crescendo:

1. Observe as atividades que lhe dão prazer. Dedique-se a elas e arrume auxiliares competentes para fazer o que você não quer.
2. Se você quer tempo livre para dedicar-se a outras atividades, escolha alguém eficiente para cuidar de seus negócios.
3. Oriente seu administrador para que ele desempenhe bem suas funções em vez de ficar atrás de seus erros só para mostrar que você é indispensável à empresa.
4. Depois de tanto tempo de dedicação, presenteie-se: que tal um computador novo ou mais um assistente? Se você já é rico, deixe de ser pobre!
5. Adapte seu negócio a você. Muitas vezes uma empresa vai à falência porque seu líder não está mais motivado a trabalhar nela, mas quer seguir administrando.

6. Se você não quiser mais seu negócio, venda-o e aceite o fato de que outros brilhem em seu lugar.
7. Mantenha sempre a disposição para mudar quando for necessário. O sucesso exige aprimoramento constante.
8. Não deixe que seu sucesso atrapalhe sua felicidade!

A arte de celebrar

Celebre suas vitórias. Todas elas.

Um novo conhecimento.

Algo que conseguiu.

A mais recente realização.

Celebre o início de alguma coisa. E, principalmente, sua conclusão.

Celebre uma decisão.

Saiba que celebrar é a melhor maneira de criar energia positiva para as coisas que acontecem em sua vida.

Permita que seus amigos, sua esposa ou seu marido e sua família celebrem com você.

Isso cria uma aura de realizações ao seu redor!

A montanha do amor

O amor quase sempre começa com uma paixão. Vem como uma tempestade em alto-mar que interrompe a calmaria de uma vida que parecia segura e tranqüila. Sem pedir licença, as ondas desse mar invadem o convés e lançam para fora do navio o tédio e a falta de motivação.

Passada a tempestade, o viajante desse barco percebe que foi levado a uma ilha. É a terra firme onde poderá plantar a semente de sua vida e de suas realizações.

A ilha é um cenário paradisíaco, onde tudo é perfeito. Parece que o lugar foi feito sob medida para esse navegante. Paisagens mágicas, águas cristalinas, pássaros de cores nunca vistas e canto maravilhoso.

Então ele começa a explorá-la e nota que nem tudo se encaixa em seu sonho tropical. As árvores dessa ilha não dão exatamente os frutos desejados, e isso o decepciona. A água doce não é tão abundante quanto pensava. Todas as suas esperanças estão naquela ilha. Se ela não o alimentar, não suprir suas necessidades, o que será de sua vida?

Essa ilha é como a pessoa amada, em quem se depositam todos os desejos, todas as carências e também as ilusões:

"Com ela, vou fazer o que sempre quis".

"Nunca mais vou me sentir só".

Quando o outro não preenche todas as ilusões, vem a frustração. É que a pessoa teve a esperança de que alguém fizesse o que era sua tarefa: realizar-se como ser amoroso. Centrou o poder de sua vida no parceiro. Imaginou que ele fosse satisfazer todas as suas carências e lhe desse toda a felicidade imaginada.

Certamente você se lembra de um momento no seu relacionamento em que ambos se sentiam totalmente felizes. Cada olhar era uma viagem ao infinito, cada conversa uma lição de compreensão e tranqüilidade, cada abraço trazia o carinho mais eterno. Aos poucos, porém, as coisas foram mudando — até que certo dia você se sentiu só, como se tivesse sido enganado. O que aconteceu?

Pode parecer incrível, mas a verdade é que o amor é mais pleno quando as pessoas envolvidas não precisam uma da outra para se sentir realizadas. O amor transcorre mais serenamente entre aqueles que se sentem inteiros, desprendidos e então podem se entregar.

Você consegue ser feliz sozinho?

Ou é um dependente?

Depende do outro para se sentir feliz?

Depende do outro para poder viajar?

Depende do outro para pagar suas contas?

Quando você precisa do companheiro, reduz o ser amado a um simples prestador de serviços. Precisa dele assim como de um encanador para instalar uma torneira em sua casa, pois você não sabe como fazê-lo. Isso não significa que você ama o encanador. Apenas necessita dele para ter água na cozinha. Ele presta o serviço, você paga pelo serviço prestado, e pronto.

No amor, quando isso acontece, o pagamento não é cobrado em dinheiro. O outro imagina que deve ser pago com aquilo de que ele próprio precisa. Se você não o faz, assume uma dívida, cobrada mais tarde com juros e correção monetária.

Tão enganoso quanto precisar é querer:

"Quero que ele me leve para viajar".

"Quero que ela me compreenda".

Note que o querer é sempre um plano, e não uma determinação. O pior é que, quando se investe energia na tentativa de que o outro faça alguma coisa, automaticamente se investe energia no medo de não conseguir isso:

"Quero que ele me leve para viajar, mas tenho medo de que não faça isso".

"Quero que ela me compreenda, mas tenho medo de que não consiga".

Quanto mais desejo, mais medo tenho.

A questão não é só querer mudar o outro em vez de criar uma opção que não dependa dele. O maior problema é que se instala — em você, no outro e na relação — uma tensão gerada pela luta entre querer e temer.

É uma mensagem confusa. O outro sente ao mesmo tempo seu amor, seu desejo, seu medo e sua tensão. Isso tudo atrapalha a tranqüilidade de vocês se sentirem felizes por estar juntos, a segurança na capacidade de amar de cada um e a confiança de que descobrirão o que é melhor para ambos.

Essa confiança se baseia em duas virtudes: a capacidade de estar em intimidade e a de manter a autonomia.

Intimidade não é só o que acontece quando dois corpos fazem amor, e sim alguma coisa infinitamente maior. É compartilhar sentimentos e pensamentos: almas nuas que se encontram sem disfarces. É saber expressar o que está acontecendo dentro de cada um, receber o outro e, juntos, encontrar espaço para os dois seres.

Quase todas as pessoas temem a intimidade por considerar muito negativo o que guardam dentro de si. Escondem seus sentimentos porque têm vergonha do que o outro pode encontrar dentro delas. Imaginam que em seu íntimo só há inveja, sentimentos de inferioridade, desejos inconfessáveis. Então se escondem. Falam de seus atos e até de seus planos, mas não mostram seu interior porque imaginam que, quando alguém entrar, terá uma visão completa delas. Conhecerá o interior e entenderá o exterior. Quem se abre teme que o outro, ao conhecê-lo, acabe por abandoná-lo.

Acontece que ninguém vai dominar você se esse não for seu objetivo. Se tiver medo da verdade e da espontaneidade, você certamente procurará alguém para dominá-lo. Alguém que assuma a responsabilidade pelo fato de você não ser feliz.

Há outra virtude básica nessa história: a autonomia. É a capacidade de ser verdadeiro consigo mesmo, de realizar suas metas com êxito, de ser dono da própria vida. Quando se é livre e espontâneo, o universo passa a ser um grande jardim onde podem desabrochar flores, lágrimas, talentos e idéias.

Viver com autonomia é produzir a seiva da própria vida.

Assim, não será necessário buscar no companheiro aquilo que se tem em abundância. Mesmo que algo lhe falte, você confiará em sua capacidade de criar o que necessita e de fazer o melhor.

Livres de quereres e poderes, vocês continuam juntos apenas porque se amam e porque, unidas, suas fragrâncias maravilhosas criam um novo perfume. Permanecem juntos não pela falta que um faz ao outro, até porque estão juntos mesmo quando separados, não porque um se transformou em uma droga da qual o outro depende para ser feliz, e sim porque, quando vocês estão juntos, o universo inteiro se torna harmonioso.

Quando o amor se realiza em sua plenitude, o ser amoroso consegue existir como pessoa e, simultaneamente, compartilhar seus sonhos, projetos e sentimentos com o parceiro. Consegue criar o *nós,* que é infinitamente maior do que a soma do *eu* e do *tu.*

Esse é o topo da montanha do amor.

Sem medo do amor

Muitas pessoas gostariam que o amor fosse um processo sob controle, previsível e delimitado. Em geral pensam em ter o controle sobre tudo: as emoções, o outro, a relação.

Mas o amor não é água de córrego, é água de inundação. Quando ele vem, traz muita coisa consigo. Como uma enchente com caminhos próprios, derruba muros, causa insegurança, dá coragem para enfrentar obstáculos que pareciam intransponíveis e também provoca medo.

Medo de amar e não ser amado.

Medo de o paraíso se transformar em inferno.

Por si só, o medo não é bom nem mau. É simplesmente um sinal de alerta, de que algo importante está acontecendo. O problema começa quando você se deixa paralisar pelo medo de sofrer ou procura soluções paliativas – como fazia Sísifo, cujas estratégias criavam mais problemas.

O medo é a luz amarela do semáforo, que diz: "Esteja atento!" Existem, porém, pessoas para as quais esse sinal parece nunca se

Quando o amor se realiza em sua plenitude, o ser amoroso consegue existir como pessoa e, simultaneamente, compartilhar seus sonhos, projetos e sentimentos com o parceiro. Consegue criar o nós, que é infinitamente maior do que a soma do eu e do tu.

abrir. Assim como muitos acham que no topo da montanha profissional mora uma catástrofe, a montanha do amor também guarda um perigo imaginário: a dor.

A dor de não ser querido.

A dor de perder a pessoa amada.

O medo da dor afasta a pessoa do amor. Ela vive o amor sem se entregar — e então a pedra cai, provocando mais dor. O círculo se completa.

Na montanha do amor, é preciso saber que o medo é apenas um obstáculo, e não uma barreira intransponível, e assim olhá-lo de frente e passar por ele com coragem e determinação.

No amor, chegar com a pedra ao topo da montanha significa poder compartilhar todos os medos, todas as vergonhas e inseguranças e também os planos e as alegrias. Em uma palavra, significa atingir a suprema virtude da intimidade. Esse é um golpe mortal no Sísifo que vive patinando em sua relação amorosa.

Conheço muitas pessoas que passaram por situações dolorosas na infância. Situações em que não se sentiram amadas nem valorizadas. Tiveram de aprender a evitar a dor. Ocorre que a memória dessas experiências negativas pode prevalecer e dominar completamente a pessoa. Então ela passa a viver sob a ameaça constante da dor e a orientar suas ações com o propósito de se defender dessa possibilidade.

Essas ações, com o tempo, tornam-se automáticas. Quem quer que se aproxime representa um perigo. Como um coelhinho na floresta, o melhor é afastar-se, encolher-se num lugar protegido e esperar até ter certeza de que o perigo passou.

Existe um fato biológico que mantém o ser humano atuante em razão do medo: seu cérebro ainda age como o cérebro de um animal apesar de toda a evolução da sociedade e das condições de vida. É como se o homem vivesse em uma floresta repleta de armadilhas mortais, onde cada situação fosse uma questão de vida ou morte. Assim, ele fica o tempo todo em estado de alerta contra um inimigo que pode surgir a qualquer instante e dos lugares mais inesperados. Nesses momentos, há duas reações possíveis: fugir e salvar a própria pele ou atacar. Tudo vai depender de quem é esse inimigo. Se ele for mais forte, o melhor é correr. Se for mais fraco, então é hora de enfrentá-lo.

Observe, por exemplo, as pessoas quando brigam no trânsito. Parecem peixes famintos lutando por um pedaço de minhoca. Qualquer situação em que o inesperado aconteça desencadeia no cérebro uma série de reações bioquímicas cujo motivo básico é garantir a sobrevivência do indivíduo. Assim, como um bicho no meio do mato, sua primeira ação é o movimento de fuga ou de ataque.

É por isso que, apesar de vivermos num mundo civilizado, no qual o ser humano poderia se realizar mais facilmente, muitas pessoas agem como se estivessem sendo atacadas e respondem agressivamente, como na lei da selva.

Muita gente age com o pensamento fixo na própria sobrevivência, esquecendo-se de sua realização como ser humano. É importante ter consciência de que podemos superar os medos que não têm mais razão de ser, vestígios dos tempos das cavernas.

Essa atitude defensiva também acontece muito no amor.

Se os problemas começarem a aparecer e você se der conta de que está atacando a pessoa amada ou simplesmente se isolando, é importante perceber que essas reações automáticas não correspondem a seu grau de maturidade. Você pode convidar a outra pessoa para conversar, expor suas dificuldades, escutá-la sem atacar nem se isolar e procurar, juntos, uma nova opção para ambos. Em resumo: compreender que esses automatismos do cérebro — que fazem com que você reaja afastando-se da pessoa amada, como se ela pudesse destruí-lo — devem ser substituídos pela consciência de que a situação de ameaça é passageira e pode ser superada.

No adulto, a dor é geralmente uma reação à idéia de que não é amado. Essa hipótese provoca dor mesmo que não seja real.

Se uma amiga não comparece ao encontro marcado, por exemplo, você pode se sentir magoado, rejeitado e ficar com raiva dela. Passado algum tempo, alguém lhe conta que o pai dela morreu naquele dia. Então você substitui a raiva pela tristeza ao pressupor que sua amiga esteja inconsolável. Mas depois fica sabendo que, na verdade, a morte do pai foi um alívio para a família, pois ele estava sofrendo muito e sua doença era incurável.

O exemplo mostra como duas emoções — raiva e tristeza — ocorreram com base em fatos irreais. Não passavam de interpretações.

Quando a criança não se sente amada, percebe que tem de mudar de comportamento até descobrir o que desperta a atenção dos pais. Talvez esconda a dor de não ser amada e procure agradá-los, tentando adaptar-se a eles. O resultado disso para a criança é a sensação de que só conseguirá sentir-se bem tornando-se dependente dos outros. Em vez de construir sua autonomia, ela tentará sempre agir de maneira a chamar a atenção das pessoas:

"Se eu fizer assim, papai me elogiará".

"Quando eu adoeço, todos se preocupam comigo".

"Se eu estudar bastante, meus pais não brigarão comigo".

Essa criança provavelmente será um adulto que viverá em função de alguém para ser feliz.

A criança pode também se comportar de muitas formas — ser boazinha, problemática ou rebelde — e, ainda assim, não receber a atenção das pessoas amadas. Nesse caso, passa a desconsiderar a importância dos que a cercam e acaba aprendendo a se virar sozinha. Conclui que o afastamento (em vez da tentativa de agradar) é a melhor forma de evitar a dor:

"Eu não me importo com eles".

"Eles vão ver como não preciso de sua ajuda".

Essa criança provavelmente será um adulto que terá dificuldade de desenvolver a verdadeira intimidade.

Na montanha do amor, encontraremos três tipos de Sísifo: os dependentes, os antidependentes e os isolados.

Os dependentes se apegam ao outro com medo da solidão, fazem o que imaginam que o outro queira ao primeiro sinal de dor e não sabem se realizar como indivíduos autônomos.

Os antidependentes fogem dos envolvimentos afetivos e têm dificuldade de compartilhar sua vida.

Os isolados estacionam na base da montanha, sem autonomia nem capacidade de compartilhar coisa nenhuma.

Dependentes, antidependentes e isolados não são rótulos que se conferem às pessoas, e sim maneiras como elas se comportam diante do amor. São mecanismos que geralmente as levam à solidão mesmo quando imaginam estar fazendo tudo por amor.

Um minuto para você refletir sobre esta questão: como é sua postura diante da pessoa que você ama?

É dependente? "Eu não sei viver sem a pessoa amada por perto."

É antidependente? "Eu sempre me sinto sufocado pela pessoa amada?"

Você prefere o isolamento? "O amor não é para mim. É melhor estar só do que mal acompanhado."

Lembre-se: quando seus relacionamentos não são satisfatórios, o problema não está no outro, e sim em sua maneira de amar.

Os vencedores têm consciência de que para ter relacionamentos melhores é fundamental amar melhor e investem sua energia exatamente nesse objetivo.

Emoções e sentimentos

É comum opor emoção e razão. Poucas pessoas percebem, no entanto, que a maioria das emoções nasce justamente dos pensamentos. São simples reações que ocorrem com base na idéia que fazemos das atitudes do outro. Atribuímos certas intenções ao outro e reagimos a elas.

As emoções são diferentes dos sentimentos, que nascem da convivência com o outro, e não da idéia que fazemos dele.

Quando sentimos raiva, por exemplo, não é que estejamos insatisfeitos com o que nos aconteceu, e sim com o que imaginamos ter sido a intenção de alguém.

"Estou com raiva porque acho que você não me respeitou." (Será que a intenção do outro era mesmo demonstrar desrespeito?)

"Estou com raiva porque isso que você fez não é típico de quem ama." (Será que, por ter feito isso, ela não o ama?)

"Tenho medo porque você nunca me aceita do jeito que eu sou." (Será que alguém que se diz incomodado com uma atitude sua realmente não o aceita?)

"Eu te amo *(porque você age como alguém que me ama).*" (E quando a pessoa não se encaixa nesta idealização? O amor continua?)

Conflitos amorosos são quase sempre resultantes de interpretações errôneas, de tentativas de adivinhar intenções e muito pouco o resultado do sentimento verdadeiro de estar com o outro.

Lidar com os sentimentos — próprios e alheios — é uma arte. Ela precisa ser cultivada e praticada como qualquer outra arte. Quando falamos em sentimentos, podemos dizer que o ser humano é uma verdadeira avalanche de emoções. Veja uma pequena lista delas.

Carências

Uma coisa é ser frágil, outra é ter necessidades e outra ainda é tornar o parceiro responsável por elas.

Isso significa que é preciso aprender a satisfazer suas necessidades e carências *com, sem* ou *apesar* do outro.

Se seu companheiro não está disposto a lhe dar alguma coisa, experimente mudar o jeito de pedir, procure um momento mais adequado ou simplesmente não tente tirar leite de pedra.

Antes de se queixar, observe se a reclamação se dirige à pessoa que realmente incomoda você, se diz respeito à atitude que de fato o perturba, se é feita no momento adequado e da maneira correta. Talvez você esteja descarregando sua raiva, seu desânimo ou sua insatisfação justamente na pessoa que o ama e não merece ouvir palavras que machucam tanto.

Inúmeros casamentos se estruturam sobre a miragem de que um vai suprir todas as necessidades do outro durante o tempo todo e para sempre. O resultado dessa idealização são muitas separações e a infelicidade desses casais.

Ninguém será completo para você, por mais sensacional que se revele. Aprenda a se relacionar com pessoas de verdade e não exija que seu companheiro seja um semideus.

É importante distinguir o que é fundamental no relacionamento. As demais necessidades podem ser supridas com outras pessoas. Para algumas mulheres, por exemplo, o fato de o parceiro não se interessar por arte é fonte de angústia. Que tal aceitar o gosto dele por esporte e convidar seus amigos artistas para uma conversa noite adentro?

Outro tema de discussão: ele detesta vida noturna e ela adora. Será que vale a pena exigir que ele a acompanhe? Se ele for à danceteria só porque ela cobrou, certamente ficará de mau humor, consultando o relógio e vigiando os olhares dos outros homens. Já que ela gosta de dançar, por que não sair com os amigos enquanto ele aproveita para assistir ao último filme de Clint Eastwood (de quem, por sinal, ela não gosta)?

Por outro lado, nada os impede de ir ao cinema e à danceteria — desde que *de boa vontade,* sem grandes sacrifícios, exigências nem culpas.

Como se vê, o amor verdadeiro não se importa com o fato de os amantes irem ao cinema ou à Lua, juntos ou separados. O amor só quer se realizar. Basta dar oportunidade para que ele se manifeste.

Outro ponto fundamental: seu novo companheiro não vai agüentar ficar com você se tiver de suprir toda a fome de amor que você acumulou durante toda a sua vida.

Às vezes uma pessoa vive a infância, a juventude e o próprio casamento sem o amor que desejava. Por isso, quando encontra alguém, passa a exigir que ele preencha todas as suas carências afetivas.

É como se a pessoa dissesse: "Agora que estou com você, quero o amor que não tive em todos esses anos". E se atira sobre o outro como um náufrago se agarra a uma tábua. O outro não agüenta. Ambos se afogam e o relacionamento desmorona. Eles se separam sem entender muito bem onde foi que erraram.

Pode ser, no entanto, que a pessoa resolva enfrentar o desafio: "Tudo bem, eu lhe dou o amor que você não teve na vida".

Sabe o que vai acontecer? Provavelmente ela não vai conseguir. Depois de algum tempo (em geral, bem pouco tempo), deixará o náufrago para poder sobreviver. Mesmo que não o abandone, ficará eternamente insatisfeita porque não conseguiu atender às necessidades do companheiro.

Isto é essencial: entre em qualquer relacionamento com o coração aberto para começar um novo amor, e não para satisfazer carências do passado. Se você perdeu algo em sua vida, é importante assimilar essa perda e compreender que isso passou. Imagine que você não se alimentou bem na semana passada. Certamente não vai querer compensar a falta de proteínas de uma só vez, em um único almoço!

Por isso não é produtivo cobrar dívidas que o outro não contraiu. Assuma a falta de amor dos últimos tempos e adote uma postura de cooperação para viver os próximos anos com amor.

Poderes

Sempre que enfrentamos dificuldades afetivas, gostaríamos de mudar o outro ou mudar o relacionamento. E tentamos, obstinadamente, ampliar esse tipo de controle sobre o que não está ao nosso alcance. Parece que no momento em que as dificuldades surgem a única saída é forçar o companheiro a fazer aquilo que ele não tem vontade. Cria-se a ilusão de que, se o outro mudar, os problemas serão resolvidos. Na superfície isso parece funcionar, mas é pura ilusão.

Normalmente, o que queremos mudar na outra pessoa é o que precisamos mudar em nós mesmos, mas não temos coragem de assumir essa atitude.

Você quer uma sugestão? Quando discutir com alguém, grave as próprias palavras e depois ouça a fita como se estivesse falando consigo mesmo. Você se surpreenderá com o tom de sua voz e até mesmo com as coisas que disse. E, ainda por cima, perceberá que está condenando o outro justamente em aspectos que não aprova em si mesmo. É impressionante como os defeitos que apontamos nos outros se aplicam tão bem a nós.

"Você não me respeita!" E você, tem respeitado os outros? Tem respeitado a si mesmo? "Você não é carinhosa!" E você é carinhoso com ela?

Quando quiser que o outro mude, perceba que esse desejo é um convite para modificar alguma coisa em você mesmo.

Se olhar para dentro de si mesmo, vai perceber que os comportamentos que critica no outro são aqueles que você próprio precisa mudar. A partir daí, a vontade de corrigir o parceiro tende a desaparecer porque ele deixa de ser uma extensão sua. E às vezes, como conseqüência, ele pode até mudar. É que agora pode ser ele mesmo, e não uma sombra de você.

O mais importante é manter a meta de ampliar o poder sobre nós próprios, pois essa é a única força real de que dispomos: criar nossa vida.

Segure o Rex!

Cada pessoa tem, diante das circunstâncias, duas ou três reações emotivas, verdadeiros reflexos automáticos que quase sempre causam problemas. Há quem, por qualquer motivo, começa a chorar. Outras apelam para a briga. Outras ainda ficam deprimidas.

São como o Rex, aquele cachorro meio chato que está sempre pulando na gente por qualquer razão. O dono entra em casa dez vezes por dia, e o cachorro pula nele dez vezes. Chega um amigo, ele pula. Chega um ladrão, ele pula. No fundo, é inofensivo, mas seu pulo bem que machuca. Ele não sabe disso (é apenas um cachorro!) e pula. Pula porque pula, e ponto final. Não há quem ensine o Rex a parar de pular!

O amor verdadeiro não se importa com o fato de os amantes irem ao cinema ou à Lua, juntos ou separados. O amor só quer se realizar. Basta dar oportunidade para que ele se manifeste.

Esses reflexos automáticos, ou seja, nossos cachorros emocionais, estão sempre preparados para pular. Se a mulher não põe a mesa, o marido se zanga. Ele deixa o Rex à solta para atacá-la. Mas a esposa também tem seu Rex, que reage o mais agressivamente possível. Os dois discutem como dois cachorros briguentos que fazem muito barulho e se entendem muito pouco.

Já percebeu quais são os dois ou três Rex que existem em você? Observe suas reações automáticas, que ocorrem antes que você consiga pensar, simplesmente como uma forma viciada de reagir às situações.

Nesse caso, a melhor maneira de evitar conflitos desnecessários é segurar seus cachorros internos — senão o Rex pode assustar as pessoas que você ama.

Ilusões

Ao buscarem respostas para suas dificuldades amorosas, com freqüência as pessoas são vítimas de ilusões.

Algumas vezes as ilusões são dirigidas para elas mesmas e têm a curiosa propriedade de inverter a realidade interior. O melhor exemplo disso é a timidez. Quando alguém é tímido, imagina ter um profundo sentimento de inferioridade. Isso explicaria por que não gosta de ir a lugares públicos, pois fica com a impressão de que todos o olham e notam sua pequenez.

Trata-se de um engano. No fundo, o tímido é vaidoso, tem um sentimento ampliado da própria importância. Se não fosse assim, por que acharia que todos interromperiam suas atividades só para observá-lo?

A timidez é uma forma de manter intocado esse sentimento de grandeza. É importante que o tímido se arrisque a receber um "não" para compreender que, se o outro não deseja ficar com ele, não quer com isso desqualificá-lo, e sim apenas dizer que prefere fazer outra coisa.

Se a pessoa aceita com simplicidade o fato de que não é perfeita, a timidez naturalmente se desfaz.

Outro tipo de ilusão é aquele que se dirige para a outra pessoa:

"Estou sendo atacado!" (Na verdade, o outro tem apenas um ponto de vista diferente.)

"Ela valoriza mais a família do que a mim!" (Na verdade, ela só quer visitar os pais uma ou duas vezes por semana.)

"Está tudo acabado!" (Essa é a pior de todas: qualquer pequena crise, qualquer mudança, qualquer sinal de "imperfeição" no relacionamento são interpretados como o começo do fim.)

Da mesma maneira que você deve se concentrar no estudo e afastar os fantasmas da distração, do sono, da incapacidade e da superioridade, também no amor é preciso passar ao largo das ilusões.

Imagine que uma mulher esteja numa pequena cidade do interior e pergunte a um matuto: "Por favor, onde fica o sítio do Antônio Gomes?" O matuto começa a explicar: "Olha, a senhora vai por essa rua até uma pracinha com uma igreja. A senhora passa e continua. Depois vai ver uma ponte de madeira toda pintada de verde. A senhora passa e continua. Depois vai encontrar uma mangueira bem grande, aliás está na época de manga, tem cada manga gostosa!" A mulher, já meio aflita, interrompe: "Então, o sítio é aí?" E ele: "Não, senhora. A senhora passa e continua. Depois vai ver uma porteira branca, bem grande, com uma porção de canteiros de flor em volta. A senhora passa e continua..." Após umas tantas indicações, o sítio do Antônio Gomes está realmente lá, e ela conseguiu atingir seu objetivo.

Nas ilusões do amor, o melhor é seguir as instruções do matuto com relação às características do caminho: passe e continue!

Você se sente abandonado só porque ela começou a estudar? Passe e continue! Surgiu um problema no relacionamento e você pensa que é o fim? Passe e continue! Ela foi visitar os pais e você se sente desvalorizado? Passe e continue!

A maioria dos casamentos tem um problema básico: a mulher quer que o marido mude e ele não muda, o marido não quer que a esposa mude e ela muda.

Nessa situação, os dois se distanciam a cada dia. Se você ama uma pessoa, é fundamental aceitá-la como ela é. Querer o impossível do outro é matar o amor que existe entre vocês.

Se seu objetivo é amar, não se distraia! Se seu objetivo é estar junto de alguém, esteja! Não há nada mais absurdo que o fato de um casal perder seu precioso tempo de convívio discutindo se os dois estão juntos ou não!

Quando os mestres hindus afirmam que a vida é *maya* (palavra hindi que significa ilusão), não querem dizer que viver é uma ilusão. A mensagem é que sua maneira de viver é ilusória. Passe ao largo das ilusões, portanto, e você encontrará na realidade a mais sublime forma de viver.

Projeções

Quando damos muita importância às ilusões, a tendência é que elas se transformem em situações que acreditamos ser reais. São tão vivas e intensas que parecem reais.

São como hologramas, imagens em três dimensões cujo original tem apenas duas. Nosso cérebro funciona assim. Baseado em imagens do passado (equivalentes a um original em duas dimensões), cria imagens no presente (equivalentes a hologramas em três dimensões).

Um exemplo: uma mulher teve um pai muito autoritário. Quando se torna adulta, o pai autoritário é apenas uma lembrança em sua memória. Então ela encontra um homem e ambos começam um relacionamento. O que seu cérebro faz? Estimulado pela imagem masculina, o cérebro dessa mulher projeta a imagem do pai sobre o homem real. Ela passa a se relacionar com ele como se estivesse vivendo situações do passado que ocorreram com seu pai.

As projeções são miragens com cheiro, movimento, corpo e alma — além de três dimensões. É lógico que a mulher do exemplo não sabe o que está acontecendo. Chama o homem atual pelo nome, refere-se a ele como seu namorado ou marido, mas reage emocionalmente como reagia perante o pai.

Se o homem sugere algo, ela pode ouvir o pai, como se ele lhe desse uma ordem, e responder agressivamente. Se o parceiro discorda de uma opinião sua, ela pode imaginar o pai, como se lhe desse uma bronca. Se ele sente um pouco de ciúme, eis o pai, que a proíbe de namorar.

Veja que bela confusão!

Os hologramas mentais não atuam apenas com as pessoas mas também com os ambientes. Por isso há muitos que não conseguem viver junto de ninguém. Namoram, mas a possibilidade de morar sob o mesmo teto ativa a imagem de um ambiente familiar no qual viveram humilhações e sofrimentos na infância.

Seus olhos vêem uma coisa, mas seu cérebro enxerga outra.

O jogo holográfico é responsável pelo fracasso da maioria dos relacionamentos, até mesmo os que começam bem, com o entusiasmo de uma grande paixão. É que a paixão, devido à própria força, provoca a sensação de que será possível dominar a situação. O homem que teve uma mãe dominadora de repente imagina que pode tê-la (na verdade, sua namorada) a seus pés. "Desta vez vai dar!" — essa é a impressão interior. Mas o tempo passa, a paixão se acalma e a imagem da mãe volta a dominar, enquanto ele volta a sentir-se como um menino assustado.

É por isso que, na verdade, a maioria das pessoas se casa e se separa sem ter verdadeiramente conhecido o parceiro. Não viveram com a pessoa, e sim com uma imagem projetada sobre ela. Se desligassem o projetor, quanta vida poderiam descobrir!

Estar só e solidão

São situações muito diferentes. Estar só significa gostar de ficar consigo mesmo, ter tempo para respirar e ter consciência de si próprio. Já a solidão é um bloqueio da capacidade de estar com o outro.

Aprender a estar só é uma necessidade que o indivíduo tem para criar um relacionamento saudável consigo mesmo. É saber apreciar a própria companhia, não ter medo de olhar seu íntimo, entrar em contato com a natureza, caminhar por um jardim, sentir os pés amassando a areia da praia à medida que anda.

Apesar de ser uma necessidade tão saudável, o desejo de reservar algum tempo para si mesmo é motivo de muitas brigas entre os casais.

Poucas pessoas sabem explicar ao companheiro o que isso significa. Além disso, ficam com receio de que ele pense que há algo errado na relação. E são capazes de dizer coisas do tipo "se você quer se isolar é porque minha companhia não lhe agrada" ou "antes você queria estar ao meu lado o tempo todo, mas agora vem com essa história de que precisa ficar um pouco sozinho". Alguns momentos de isolamento são importantíssimos para refletir, ouvir o coração e se sentir bem com você mesmo.

Da mesma forma, são poucos os que aceitam que o outro queira fazer alguma coisa sem sua companhia. O resultado é que, na maioria dos relacionamentos, brigar é o único meio de conseguir ficar só. Assim, cada um toma um pouco de ar até que possam se reencontrar.

Seria, sem dúvida, muito mais interessante que, em vez de brigar, o casal reservasse algum tempo para cada um estar só e cuidar de seus afazeres. Sem brigas e sem tensão, apenas com respeito mútuo. Quando as pessoas sentem uma brisa diferente, alimentam-se dela para desfrutar mais intensamente a presença do outro.

A solidão é diferente: é a incapacidade de viver o amor.

A solidão do dependente, que ele chama de amor, é o fato de só se sentir vivo junto do outro. Enquanto o amor nasce da abundância de afeto, a solidão nasce do medo. Para o dependente, é o medo de ser abandonado ou desvalorizado que pode se manifestar por meio do ciúme. Pode também nascer da necessidade de controlar, de só se sentir importante quando está cuidando de alguém.

A solidão do antidependente, que ele chama de liberdade ou independência, é seu grande refúgio, pois, como desde criança ele treinou se afastar do outro, sabe que a ameaça de ir embora é seu grande trunfo para obrigar o parceiro a fazer o que ele quer.

Na verdade, esses tipos de gente solitária não vivem o amor, e sim formas de manipular o outro. E, como em toda manipulação, esticam a corda até que ela arrebente. Crise após crise, o que resta é a sensação de que não são amados de verdade.

Vivem, como Sísifo, uma eterna tentativa de levar a pedra até o topo da montanha — sem jamais conseguir. A pedra rola montanha abaixo, a pessoa pensa em recomeçar e se esforça apenas para ver a pedra rolar de novo.

Existem ainda as pessoas que se mantêm na base da montanha. O medo de sofrer é tão grande que levam uma vida isolada. Não se arriscam a amar e lidam apenas com os sonhos, na ilusão de que um dia se envolverão num relacionamento profundo.

Aqueles que sobem e descem a montanha pelo menos chegam mais perto do verdadeiro amor. Podem até sofrer mais, mas conseguem provar o sabor da companhia de alguém.

Se você quer escalar com sucesso a montanha do amor, faça como na montanha profissional: evite culpar os outros, encontrar desculpas e adiar, porque a única maneira de amar de verdade é admitir que tudo o que acontece em seus relacionamentos dependede você.

Para que seus relacionamentos sejam diferentes, é fundamental que alguma coisa mude em você ou em sua maneira de amar.

O melhor é deixar de resistir, pois o amor é vingativo. Quando uma pessoa ama e não deixa esse amor fluir, ele procura chamar a atenção para sua existência. As primeiras vítimas são os três S: sexo, sono e saúde. Um deles sempre sai prejudicado quando o amor não se realiza. Às vezes a pessoa quer se enganar e diz que sua vida está ótima. Mas lá vem o amor para lhe mostrar que alguma coisa não vai bem, provocando insônia, perturbações sexuais ou todo tipo de somatização.

Acredite: desrespeitar o amor pode ser perigoso para a saúde. Assim, tão importante quanto dietas e exercícios, é bom desenvolver também um programa intensivo de amor para cuidar bem de seu coração.

O labirinto do isolamento

Os solitários da base da montanha vivem isolados, como se estivessem dentro de uma maldição de contos de fada: são como a Bela Adormecida, eternamente à espera da chegada do príncipe encantado.

Essas pessoas não encontram a saída do labirinto onde estão aprisionadas porque não sabem ousar, não aprenderam a avançar na descoberta do outro e não querem correr o risco de se deixar conhecer.

Como veremos a seguir, há muitos tipos de isolamento disfarçados de amor.

Amor platônico ou don-juanismo

No amor platônico, a pessoa valoriza muito mais a dor do que o amor, já que está estruturada para não enfrentar a dor que pensa existir no topo da montanha. Curiosamente, esse é o caso dos dom-juans, que pulam de galho em galho sem pousar em nenhum. O platônico fixa seu olhar num único galho, mas também não pousa nele, o que, no fim das contas, tem o mesmo efeito.

Essas pessoas evitam a própria hipótese de escalar a montanha. Preferem permanecer embaixo, criando um mundo de justificativas e explicações, a se arriscar a subir devido ao medo da queda.

Relações destrutivas ou acomodadas

Em casos assim, as pessoas constroem um relacionamento sobre bases falsas, como a idéia de que o casamento é para toda a vida (mesmo que não exista mais amor). Em outras palavras, "ruim com ele, pior sem ele".

Não escalam de verdade a montanha do amor por temer o risco de cair e ser abandonadas. O relacionamento pode ser agressivo e destrutivo — baseado num massacre cotidiano — ou pobre e acomodado — baseado num cotidiano massacrante.

Tanto num caso como no outro, não é o amor que mantém os dois juntos, e sim o medo de ousar. O casal vive uma solidão a dois. Aceita o isolamento como maldição inevitável.

O mito da perfeição

Existem pessoas que permanecem sozinhas por ter um modelo idealizado do que o outro deve ser. O mito da perfeição é uma das coisas que mais matam o amor. As pessoas inventam um modelo de dois seres imóveis como estátuas, que vão manter um relacionamento predeterminado, como um roteiro de novela.

Determinam, a priori, o que é ser bom de cama, o que é ser bom marido, o que é ser boa esposa. O que não se encaixa nesses modelos passa a ser considerado um fracasso. Como a vida real não costuma seguir modelos, a verdade amorosa das pessoas é abandonada.

Às vezes o homem tem tudo para ser um ótimo marido, mas seu modelo de perfeição não admite que ele sinta vontade, um dia, de discutir com a esposa. Faz então um vôo sem escalas da perfeição para a depressão.

Essas pessoas precisam entender que o ser humano está sempre se aprimorando. Ninguém aprende a nadar fora da água, ninguém aprende a ser mãe antes de ter um filho, ninguém escala a montanha sem sair do chão. Esperar que a ladeira seja pavimentada primeiro para depois subi-la sem esforço e sem correr riscos é não se dar conta de que os únicos capazes de criar o amor em nossa vida somos nós mesmos.

A saída do labirinto

Por mais que a pessoa pareça entregue à sina de uma vida isolada, ninguém está condenado a viver para sempre sem amor. Afinal, todo labirinto tem uma saída. O labirinto do isolamento não haveria de ser diferente. Mas, para sair dele, é preciso ousar. Criar um método, enfrentar o Minotauro do medo, procurar a saída e amar.

O primeiro passo para enfrentar a solidão é aprender a compartilhar medos e frustrações. É preciso aceitar o fato de não ser considerado um semideus e se mostrar como gente. Muitas pessoas têm grande apego à própria imagem e querem ser admiradas mesmo que permaneçam solitárias.

É necessário ser humilde para falar de suas fraquezas e permitir ao outro conhecer seu íntimo. Esse passo rompe um dos bloqueios mais punitivos da solidão: a vergonha de não ser perfeito. Quando você se aceita como é, torna mais fácil o encontro com o parceiro.

O segundo passo é aprender a elogiar, é saber admirar as virtudes de alguém. Fazer com que o outro se sinta importante torna-se um treinamento para que você mesmo aprenda a assumir suas virtudes. É uma forma de reconhecer — em você e no outro — duas pessoas belas que podem viver um relacionamento gratificante.

Muitos têm medo de elogiar o outro imaginando que essa atitude vai incomodá-lo. Um exemplo disso é o que ocorre quando você vê uma pessoa interessante em um restaurante e olha para ela pensando como seria gostoso se também notasse sua presença. Quando, de repente, ela percebe seu olhar, você desvia rapidamente o rosto sem se dar conta de que manter o olhar seria uma forma de mostrar sua admiração à pessoa. Melhor ainda seria ir até lá e dizer a ela quanto é atraente!

Este é exatamente o terceiro passo: aprender a declarar seu amor. Saber reconhecer alguém que consegue despertar a beleza do seu amor. Muita gente tem medo de incomodar o outro ao se declarar. É uma pena ver quantas pessoas apaixonadas se separam sem ter compartilhado seus sentimentos!

Conheço um homem que se apaixonou por sua professora de inglês. Para seu desespero, um dia ela lhe contou que estava de partida para os Estados Unidos na semana seguinte. Ele então não se conteve:

— Olhe, eu sei que isso não faz sentido. Você tem namorado, vai morar longe, mas eu preciso dizer que estou apaixonado. Você não sai da minha cabeça. Não faço outra coisa senão pensar em você.

— Seu estúpido! — ela respondeu, zangada.

Triste com a reação, ele mal conseguiu balbuciar:

— Desculpe, eu não queria magoá-la. Deixei claro que não tinha nada a ver...

Ela o interrompeu:

— Seu estúpido, não vê que vou embora porque não suporto mais amá-lo e perceber que você não liga para mim?

Se ele adiasse sua declaração de amor por três dias, essa conversa não teria ocorrido.

Como dizem no vôlei, não existe bola perdida. Você deve acreditar em todas e esforçar-se para evitar que a bola toque o chão e o ponto seja dado ao adversário. Há ocasiões em que ela está mesmo perdida, mas, se você não for atrás, como poderá ter certeza de que não há mesmo nenhuma possibilidade? Vai conviver o resto da vida com essa dúvida? Claro que não. Vá atrás de cada bola, por mais perdida que pareça. Você pode se surpreender com o resultado de seu esforço.

O quarto passo para sair do labirinto é abrir o coração.

Você talvez ainda não o conheça, mas seu parceiro amoroso já existe — e pode estar por perto. A maioria dos solitários ergue uma espécie de barreira energética em torno de si que impede a aproximação do outro. Desfeita essa barreira de medo, o coração se abre como por um passe de mágica e o solitário se torna visível e convidativo.

Um método interessante para facilitar a emissão de seu amor é imaginar que uma luz verde emana de seu coração e se dirige a uma pessoa muito especial — ainda que desconhecida. Sua luz vai até ela, aquecendo-a, e ilumina seu coração.

Quando a pessoa consegue emitir sua luz, os encontros amorosos são inevitáveis — e o amor se torna então realidade.

Livres da dependência

Há dois tipos de dependente no amor. O primeiro é aquele que depende da presença do outro para ser feliz. Espera que ele seja a fonte de sua felicidade. Deposita nele todas as esperanças e a responsabilidade pelo seu sucesso ou fracasso.

Seu grande medo é a solidão. É um medo tão profundo que a pessoa dependente se esforça ao máximo para possuir a identidade do parceiro, anulando a própria individualidade. O dependente não se permite ficar triste — a não ser que o outro também esteja. Na maioria das vezes, só admite sentir alegria se o motivo disso for algum sucesso do outro.

Quando surge a possibilidade de separação, o dependente não mede esforços para manter o parceiro, alternando as mais diversas atitudes. Mendiga amor, briga, lembra promessas do passado, faz chantagem emocional, tem explosões de raiva — às vezes faz tudo isso ao mesmo tempo. É como se dissesse: "Não vê que posso enlouquecer se você me abandonar?"

O outro tipo de dependente é aquele que precisa de um parceiro muito problemático para se sentir útil. Procura pessoas que não conseguem emprego, são incapazes de dar um rumo a sua vida e sempre necessitam dele. Esse tipo de dependente foi, em geral, criado numa família também problemática, na qual aprendeu que seu valor está condicionado à capacidade de cuidar do outro. Inconscientemente, suas atitudes acabam agravando os problemas.

Um exemplo típico é a mulher de um alcoólatra. Ela quer que o marido abandone o vício, mas provoca tanta tensão que no fundo reforça a necessidade que ele tem de beber. O alcoólatra é um dependente, mas a mulher dele também é, pois necessita cuidar do doente para se sentir importante.

Muitos dependentes se escondem sob a fachada da antidependência. Agem como a pessoa que tem um comportamento ditatorial com o parceiro e o repreende com freqüência em vez de tentar agradá-lo servilmente. Dá a impressão de ser auto-suficiente, mas revela-se incapaz de ir ao cinema sozinha, de escolher uma roupa na loja, de decidir o que preparar para o jantar ou o que dizer ao filho que não foi bem numa prova.

Os dependentes precisam da energia do outro para subir a montanha, seja com sua proteção, seja com seus problemas. Quando o outro não os complementa, a pedra cai.

Se você percebeu que seu mecanismo de afastar o amor é a dependência do outro, veja algumas sugestões para aprender a se cuidar melhor:

1. Decida o que você quer da vida e assuma essa decisão mesmo que lhe dê trabalho.
2. Estabeleça um limite para o que vai aceitar do outro. Se você, por exemplo, não suporta a idéia de seu companheiro ser um alcoólatra, decida: "Se ele recair na bebida, acabou!" Cumpra sua decisão custe o que custar.
3. Determine suas ações em relação ao outro. Por exemplo: "Não vou sustentá-lo por mais de três meses" ou "Vou ganhar meu dinheiro para que ele não tenha de me sustentar".
4. Aprenda a brincar com a situação. Mantenha o bom humor mesmo em tempos de crise. Muitas de suas preocupações são

*O primeiro passo para
enfrentar a solidão é aprender a
compartilhar medos e frustrações.
É preciso aceitar o fato de não
ser considerado um semideus e se
mostrar como gente.*

na verdade um aprendizado de vida. A atitude de arrancar os cabelos só aumenta a tensão e diminui a possibilidade de melhorar o relacionamento. Já que um dia você ainda vai rir disso tudo, comece agora!

5. Esqueça Hollywood! Até eles já abandonaram o "foram felizes para sempre". Aprenda a aceitar as pessoas como elas são (inclusive você mesmo). Assim fica mais fácil mudar sua vida.
6. Aproveite a vida do jeito que for possível. Não condicione sua felicidade à felicidade do outro.
7. Respeite as opções do outro. Cada um cria a própria vida. Se, apesar das promessas, você já tentou de tudo e tem certeza de que ele não viverá bem em sua companhia, a separação é uma alternativa legítima. Por que não se separar de maneira amigável?

Livres da antidependência

O antidependente tem dificuldade de se envolver. Não vê na intimidade uma oportunidade de crescer. Qualquer vínculo o ameaça e sufoca.

Muitos acreditam ser independentes, mas na verdade não é bem assim. O independente consegue realizar seu amor, pois tem confiança na própria identidade. O antidependente, por outro lado, foge do amor.

Assim como acontece com o dependente, também há dois tipos básicos de antidependente.

O primeiro é aquele que inicia um relacionamento, mas vai embora tão logo surge uma chance de intimidade mais profunda. Alega sentir-se pressionado e utiliza como sua maior arma a capacidade de suportar a solidão. Esse tipo, de certa forma, tenta comemorar o fracasso como se fosse uma vitória. A cada envolvimento interrompido, estufa o peito e diz: "Nenhuma mulher consegue me prender!" ou "Não vou desperdiçar minha vida com esse homem!".

O segundo tipo tem discurso oposto (mas o mesmo resultado): diz muito que quer amar, mas cria tantos problemas que os relacionamentos nunca evoluem. Em geral culpa o outro pelo fracasso, mas, quando este realmente se aproxima e quer aprofundar a relação, o antidependente perde o desejo (se "desapaixona") ou se sente sufocado.

Apesar de afirmar sua intenção de viver um grande amor, não sabe realizá-lo e tem medo de que o outro descubra essa incapacidade. Exige tanto do parceiro que este se afasta e, quando aceita conviver com as exigências, é o antidependente que vai embora.

Os antidependentes também podem se esconder sob uma fachada de dependência. Isso acontece muito em casamentos ao estilo antigo, em que a esposa briga tanto para o marido ficar em casa que acaba tornando o ambiente do lar insuportável. Então ele sai — e ela se sente secretamente aliviada, pois conseguiu livrar-se da intimidade e ainda por cima provocar culpa no marido.

Se você percebeu que sua forma de afastar o amor é fugir do encontro, eis algumas sugestões para aprender a compartilhar seu amor:

1. Pare de correr atrás de miragens: esqueça os sonhos de poder, as ilusões de ser perfeito e as expectativas de receber o respeito absoluto dos outros. Tudo isso só ajuda a afastá-lo ainda mais de seus sentimentos reais.
2. Pare de enxergar no outro um inimigo que quer prejudicá-lo. Você talvez tenha sido prejudicado na infância, mas hoje pode escolher as pessoas em quem confiar — e acreditar nelas. Tenha amigos e aprenda a ser cúmplice. Se eles fizerem algo que o desagrada, não se tornarão, só por isso, seus novos inimigos.

3. Pare com essa história de se sentir sufocado! O amor necessita de tempo e espaço para crescer.
4. Pare de dizer aos outros como eles têm de agir! Você acaba dominando as pessoas com seu carisma e depois as despreza porque se deixaram dominar. No fim de tudo, quem fica sozinho é você.
5. Ser frágil não é demérito nenhum! Aprenda a falar de suas necessidades e carências, mas não culpe ninguém por isso nem transfira aos outros a obrigação de solucionar esse problema. Ele é seu. É importante aprender a compartilhar seus sentimentos e pedir o que você precisa. Tenha certeza de que um enorme peso vai sair de seu peito.
6. Aprenda a resolver conflitos conversando. Pare com esse jeito de criança mimada de abandonar a brincadeira se o jogo não for de seu agrado.
7. Não faça tantas críticas. Chega de viver procurando defeitos nos outros para poder consertá-los. Você não é o zelador do mundo para ficar sempre vigiando e corrigindo tudo. Aceite as pessoas como elas são.

Lembre-se: a maior parte das pessoas tem um pouco do tipo isolado, do dependente ou do antidependente. O segredo é perceber em que situações você utiliza cada um desses mecanismos, aprender a não se deixar levar por eles e realizar suas metas afetivas.

Amor: combustível para a mudança

Sempre que uma relação amorosa começa, tem início também uma luta. Num dos lados do ringue, estão seus medos. No outro canto, a pessoa amada. Na platéia, você. Esse será um conflito permanente em sua vida até que você opte pelo amor.

O antidependente, por exemplo. Mais cedo ou mais tarde vai soar o gongo, e ele terá de decidir: "Quem amo mais: minha antidependência ou minha namorada?" Se ele amar mais a namorada, a antidependência irá a nocaute, talvez para sempre. Se preferir as miragens, deixará o amor passar.

Muitas cartas que recebo falam de pessoas que não são correspondidas em seu amor. A pergunta é sempre a mesma: "Será que ele (ou ela) me ama? Por que então não fica comigo?"

A resposta é também quase sempre a mesma: sim, provavelmente ele a ama, porém o que ele faz mostra que ama mais suas miragens do que a você. Se você aceita viver nessas condições, tudo bem. Mas não se esqueça de que a opção dele não é por você, e sim pelo estilo de vida dele. E isso não é culpa sua. Na relação anterior dele foi assim e assim será na próxima — a não ser que ele decida mudar.

O amor é esse combustível que nos leva a ousar e a nos entregar, que nos dá paciência, perseverança e especialmente coragem para ser nós mesmos.

O amor é o colírio que deixa os olhos mais brilhantes, o ungüento que deixa a pele aveludada.

É quem nos diz em meio à dor da separação: "Valeu".

Na incerteza do início: "Avance".

Na descoberta do outro: "Viva!"

Todas as pessoas têm vocação para o amor. Como o perfume da rosa, isso é inevitável. A rosa não escolhe quem vai sentir seu perfume, não compara sua fragrância com a de outras rosas e não disfarça seu aroma. Simplesmente o exala.

O amor também é inevitável! É a força que nos faz dar o mais distante dos saltos: aquele que vai do medo à entrega.

A montanha da transcendência

No início da caminhada, a pessoa busca algo que está fora dela.

Um emprego.

Uma companhia.

Uma família amorosa.

Quer satisfazer uma necessidade interna com alguma coisa externa. Precisa de alguém para satisfazer sua necessidade sexual. Precisa do emprego para satisfazer sua necessidade de crescimento.

À medida que sobe a montanha do amor e da profissão, vai aprendendo a confiar em sua capacidade de conquistar aquilo que a realiza. Nessa etapa, torna-se um animal competente que, quando tem fome, sabe encontrar frutos ou caça para se alimentar. Por isso, o começo da caminhada é mais fácil: é a conquista de objetivos palpáveis, que se pode avaliar.

Uma vez atingidos esses objetivos, porém, a pessoa começa a perceber que não quer somente aplacar suas necessidades biológicas. Quer ter paz interior, sentir-se mais realizada em sua vida como um todo.

É possível alimentar uma pessoa com água e cápsulas de proteínas e vitaminas, mas isso não é suficiente. Além de satisfazer meras necessidades orgânicas, ela quer mais: um jantar gostoso em um lugar bonito com uma companhia agradável.

Algumas pessoas estacionam na primeira etapa. Ricas ou pobres, contentam-se em acumular milhões em sua conta bancária ou com um emprego rotineiro que garanta sua subsistência. Da mesma forma, tanto podem ter uma vida sexual superficial, para aliviar a tensão, mera masturbação a dois, quanto aprender a controlar o apetite sexual e viver solitárias, trancadas em casa.

À medida que avança, porém, o indivíduo aprende a enfrentar os novos desafios do crescimento. Evolui de animal para ser humano. Evolui de um realizador de necessidades para um criador de realidades.

Começa a perceber que existe um componente fundamental para sua existência: a qualidade de vida. Sabe que suas empresas podem crescer, mas percebe, também, que deseja ter mais tempo para desfrutar o que conquistou.

Compreende que poderia economizar algum dinheiro trabalhando mais algumas horas, mas prefere contratar um bom executivo e ficar mais tempo com a família.

Tem consciência de que pode ir para a cama com um parceiro diferente toda semana, mas opta por um relacionamento profundo com uma pessoa que lhe possibilite desenvolver o autoconhecimento e a realização.

Descobre em si mesmo um grande parque de diversões, um mundo maravilhoso a ser explorado, uma fascinante floresta encantada a ser desvendada. Perde o medo de si mesmo e transforma-se no grande explorador de seu mundo interior.

Nessa fase, suas leituras passam de manuais técnicos a livros de reflexão sobre a existência. Suas conversas deixam de ter como tema o auto-elogio ou as reclamações da vida e tornam-se uma oportunidade de compartilhar sentimentos.

Nessa altura, seus amigos geralmente percebem que uma grande mudança ocorreu. Aqueles que estavam com ele apenas para satisfazer necessidades básicas queixam-se de que não é mais o mesmo.

Os que criticam essa mudança, porém, devem ser ignorados. Eles fazem parte daquele grupo de pessoas que afirmam: "Diga-me com quem você anda que eu direi se vou com você". Não estão, portanto, interessados na amizade, e sim nas vantagens que ela poderá trazer.

Os verdadeiros amigos vão perceber que ele está ficando sutil, pois experimenta novos sabores e descobre novos tons nas cores da existência. Seus amigos reais, seu parceiro afetivo, todos em volta enxergam em seu avanço um grande convite para eles mesmos evoluírem.

Ele passa do "eu o odeio" para "o que será que eu fiz para provocar nele essa reação?", do "ele é sensacional" para "que talentos ele desperta em mim que tornam tão agradável o fato de estarmos juntos?".

De um simples animal que ataca o mais fraco e foge do mais forte, evolui para alguém que sabe conviver com o outro.

À medida que atinge esse nível de consciência, simultaneamente descobre outro estágio a ser desvendado: a integração do mundo encantado de seu ser com a consciência infinita. É outra montanha que surge no horizonte.

Às vezes o indivíduo pensa que não quer nada desse mundo transcendental, que simplesmente quer aproveitar a vida como ela está. Isso é quase impossível. É como se uma criança ou um adolescente dissesse: "Eu não quero continuar a crescer" ou "Quero que as coisas continuem do jeito que estão".

A única maneira de evitar a evolução é bloquear o desenvolvimento, ou seja, infantilizar-se, agir como uma criança mimada e rebelde que não sabe assumir suas responsabilidades.

É gostoso ver crianças que brincam com bombinhas de São João, brincam de casinha, de caubói ou de clube do Bolinha. Mas imagine que essas "crianças" já tenham 30, 40 ou 50 anos: que triste visão! Homens barbados que vão a estádios de futebol munidos de bombas. Pessoas que fazem fofocas maldosas sobre os vizinhos. Ditadores que jogam fora centenas de milhares de vidas em guerras estúpidas. Adultos que lidam com suas empresas como se fossem brinquedos à mercê de seus caprichos.

Se o objetivo é redescobrir a beleza da infância, que sejam recuperadas sua espontaneidade, inocência e criatividade. Os grandes seres humanos souberam retornar à própria infância por essa via. Já os pobres de espírito concentram suas forças na tarefa de não crescer.

Sim, é preciso muito esforço para deixar de evoluir porque será necessário contrariar o caminho natural. Ao ouvir falar em transcendência, talvez você pense em rituais religiosos cansativos e imagine que tudo não passa de perda de tempo — como na época em que almoçava com seus pais aos domingos por obrigação, só para que não ficassem chateados com você. Agora que aprendeu a desfrutar a companhia deles pelo simples prazer de estarem juntos, certamente não vai aceitar outras obrigações, sociais ou espirituais.

Se esse for seu caso, saiba que tem toda a razão! Quando a busca espiritual surge como obrigação, de duas uma: ou ainda não chegou o momento ou esse não é seu jeito de caminhar!

Para alguns, a transcendência pode ser atingida por meio da meditação; para outros, por meio de orações e práticas religiosas; para outros mais, por meio de obras de caridade nas quais desenvolvem a bondade; e outros, ainda, fazem uma jornada pessoal em busca de si mesmos, como percorrer o caminho de Santiago de Compostela.

Caminhos tão infinitos quanto cada um possa imaginar. Caminhos diferentes. Nenhum é melhor que o outro. Simplesmente é aquele que foi escolhido pela pessoa.

Esse caminho pode ser o cristianismo, o budismo, o judaísmo, o espiritismo ou tantos outros, cada um com sua beleza e seus métodos. Por meio de práticas diferentes e concepções distintas, todos eles podem levar a pessoa ao encontro de sua luz.

Como disse o filósofo, só existe uma coisa pior do que achar que seu caminho é o único: é pensar que seu caminho é o melhor.

Quando se descobre a luz, sabe-se que ela não pode ser contida em uma verdade única porque é universal. Por isso respeite o caminho que você escolheu tanto quanto o escolhido pelas outras pessoas.

Mais importante do que o caminho em si é a necessidade de que ele esteja alinhado com sua maneira de ser e seus valores. Trilhado com honestidade e simplicidade, certamente vai levá-lo à consciência divina.

Além disso, é importante sentir a presença divina em todos os momentos da vida, e não apenas durante determinada prática espiritual. Transcendência é aquela sensação de integração profunda que sentimos quando observamos o pôr-do-sol. É sentir que nós e o universo formamos uma unidade. É aquela sensação de que nossos filhos não são nossos filhos, e sim nossos companheiros de viagem.

Algumas pessoas perguntam se esse mundo de integração não tira o sabor da vida que elas já haviam descoberto e apreciado.

A resposta é não. Essa consciência agrega novos sabores à vida, tais como êxtase e plenitude, além da indescritível sensação de pertencer ao universo.

Se você já tiver o mais belo dos quadros em sua casa, continuará a admirar sua tela, mas descobrirá que fantástica obra de arte é um bichinho que caminha no tronco de uma árvore.

Gostará da música de seus CDs, mas aprenderá a apreciar os sons do silêncio, os timbres mágicos que existem em uma calma noite de luar.

Continuará a conversar com seu parceiro, a ouvir e respeitar suas idéias, mas também aprenderá a comunicação do não dito, do não explícito. Aprenderá a ler o que está escrito nos olhos da outra pessoa, em seus gestos, em sua forma de se expressar. O mundo da transcendência está sempre um passo além.

É mais profundo, mais belo e até mais real do que você jamais imaginou.

Sem medo da paz

O grande medo que a pessoa enfrenta quando escala a montanha da espiritualidade é a perda da identidade. Isso acontece porque, para orientar sua vida, ela desenvolveu um grande senso do eu. Identificou-se com as coisas que conquistou, com sua maneira de viver. Tem uma idéia muito forte de que "eu sou desse jeito" e teme, ao entrar no caminho da transcendência, perder a estrutura material que montou e os relacionamentos que construiu.

Na verdade, não se perde o que se possui. A habilidade de ganhar dinheiro vai continuar, a capacidade de amar já está incorporada. O que a pessoa desejará perder, por livre e espontânea vontade, são certas idéias que alimentou durante muitos anos — idéias errôneas às quais se apegou:

"Eu só terei amigos se ganhar muito dinheiro".

"Eu só tenho amor para minha família".

Quando efetuar a caminhada da transcendência, você integrará seu *ser* com o *ser universal,* sem necessidade dessas idéias para se realizar.

Será a pura experiência.

Em vez de ter apenas uma idéia do sabor da manga, saberá saborear a manga.

Em vez de ter uma leve idéia de Deus, viverá a experiência do Divino.

Nessa caminhada, o *ter* e o *fazer,* ou seja, verbos que supõem atuação, abrirão espaço para uma nova e mais profunda maneira de existir: o *ser.*

O caminho

Quando se diz que é importante fazer a caminhada da transcendência depois de ter subido as outras montanhas é porque, se o indivíduo nem sequer aprendeu a atender as próprias necessidades, tenderá a usar a espiritualidade como bengala emocional, e não como experiência.

"Deus vai me dar uma casa nova." Usa Deus como a força que ele mesmo não desenvolveu. Vai esperar de Deus sua salvação, como pode ter feito com o governo ou com o ser amado.

Em vez de desenvolver o próprio poder, usará a idéia de Deus para lhe emprestar um poder que não acredita possuir. Não agirá

Mais importante do que o caminho em si é a necessidade de que ele esteja alinhado com sua maneira de ser e seus valores. Trilhado com honestidade e simplicidade, certamente vai levá-lo à consciência divina.

como uma pessoa rica que compartilha seus bens espirituais, e sim, mais uma vez, como um mendigo que suplica um donativo.

A pessoa iluminada, aquela que conquistou luz própria, agradece ao Divino por tudo o que recebe, inclusive pelas dificuldades, porque sabe que ela e o Divino são uma coisa só, e tudo o que vive é sua criação. O iluminado não utiliza sua energia para fazer pedidos a Deus, primeiro porque sabe que é sua a responsabilidade de suprir as próprias necessidades e segundo porque sabe que já tem essa capacidade.

E, finalmente, porque também sabe que Deus tem mais o que fazer além de quebrar o galho de todo mundo!

Apego

Ao contrário do que se imagina, quando a pessoa inicia o caminho da espiritualidade em geral enfrenta uma explosão de sentimentos negativos. Vontade de brigar, ciúme, inveja, ressentimento. Apega-se ainda mais aos bens materiais. Quantas pessoas não voltam de uma viagem espiritual desejosas de ganhar mais dinheiro?

Essa primeira fase é normal e mostra que o *eu* da pessoa está relutando em ceder espaço ao *ser.*

Ocorre também que a pessoa passa a observar o que acontece com mais atenção. Torna-se mais sensível. Assim, determinados sentimentos que estavam cuidadosamente escondidos recebem atenção e ganham espaço para se manifestar.

Nessa fase é freqüente a constatação de que o indivíduo, embora sofra com seu apego, não consegue abandoná-lo.

É como aquele rei que vivia muito angustiado e descobriu que a fonte de sua angústia era a forte ligação que tinha com suas posses. Abandonou tudo. Caminhou errante, pedindo comida, somente com a roupa do corpo, até chegar a um tronco de árvore caído à beira de um rio. Sentou-se no tronco, contemplou a linda paisagem ao redor e decidiu ficar ali bebendo a água do rio e comendo os frutos que conseguisse apanhar. Um dia, enquanto nadava, chegou um forasteiro que se sentou no tronco e ficou observando a paisagem. Imediatamente o rei se dirigiu ao estranho e, raivoso, disse: "Saia já daí. Esse tronco é meu!"

O importante é o apego, e não o objeto do apego. As pessoas podem apegar-se tanto à fortuna quanto à pobreza. Podem dizer "sou milionário porque trabalhei duro" ou "sou pobre porque ninguém me ajudou". O apego é o mesmo. O que muda é o objeto do apego.

Esse sentimento expressa uma rígida identificação com um objeto ou um modo de ser. Se alguma coisa ameaçar lhe tirar o objeto, a pessoa sentirá como se a própria existência corresse riscos.

Muda o chefe, lá vem o medo de perder o emprego.

A esposa começa a trabalhar, ele fica apavorado.

A pessoa acorda à noite, sobressaltada, às vezes tem pesadelos. Então se pergunta: "Se tenho orado tanto, por que estou tão insegura?" ou "Estou fazendo meditação, então por que sinto tanto medo?"

Nessa fase, a pessoa aprofunda a identificação com os objetos de seu apego e sente que, se os perder, perderá todo o sentido de sua vida.

Confusão

Na fase seguinte ocorre uma grande confusão. A pessoa não sabe quem é. Está abandonando sua identidade e os elementos nos quais sempre se reconheceu, mas não consegue ainda ver claramente se descobrirá uma nova maneira de existir.

Durante todo o processo da caminhada da transcendência, a pessoa percebe que existe algo além do material. Não raro procura explicações lógicas que lhe garantam estar no caminho certo, mas freqüentemente essas explicações são frágeis e lhe proporcionam poucos momentos de certeza.

Pressente que é um vôo às escuras. Ao mesmo tempo que se sente insegura, porém, começa a compreender que a força para esse salto sem pára-quedas vem de sua fé.

Essa luta entre a lógica, que já não funciona, e a fé, que ainda não mostra os resultados desejados, resulta em confusão. Mais uma vez a pessoa se sente tentada a abandonar a escalada e voltar para as montanhas anteriores.

Mas já saboreou o fruto da transcendência.

Agora quer mais!

Aparece o mestre

É em geral no meio dessa confusão que aparece o mestre — alguém que lhe explica o que se passa e diz como chegar aonde quer.

O mestre pode ser um padre, um guru, um terapeuta, um professor ou simplesmente um amigo que já fez a caminhada e tem alguma coisa a lhe dizer.

É alguém que lhe vai mostrar a luz, dizer como chegar lá e acompanhá-lo. Acima de tudo, porém, demonstrará a necessidade de caminhar com os próprios pés.

O mestre vai ajudá-lo a não se desviar do caminho.

"Os demônios virão disfarçados em anjos."

E, com naturalidade, vai também ajudá-lo a descobrir que a luz está dentro de cada um.

Se esse orientador, contudo, não estiver verdadeiramente preparado, acabará estimulando uma relação de dependência. Nesse caso, ele será aquele que sabe, que detém a luz, enquanto o outro não terá vida própria. Esse tipo de "mestre" mais uma vez vai reforçar a idéia de que o poder não está na pessoa, e sim em algo que vem de fora.

Esse é o perigo. A pessoa verá esse orientador não como alguém que vai ajudá-la a encontrar as respostas, e sim como a própria resposta. Passado algum tempo, durante o qual conferiu poder ao outro e diminuiu-se como fonte de luz, surgirão a impotência e a desesperança.

Na verdade, o problema não foi o falso Messias, e sim a maneira como a pessoa o colocou em sua vida. Não se entregou realmente ao divino, não deu o salto no escuro. Em vez disso, procurou alguém que mergulhasse em seu lugar ou, pior ainda, contentou-se em estar perto de alguém que havia encontrado a verdade. Talvez o orientador tenha descoberto a verdade dele, mas isso não foi suficiente para que a pessoa descobrisse a sua.

O verdadeiro orientador sabe que pode prestar informação, e não conhecimento. Cada um tem de adquirir conhecimento com a própria vivência.

Estar com um verdadeiro mestre às vezes é incômodo. Isso porque, mais do que respostas prontas, o que ele realmente mostra são os desafios existenciais a enfrentar.

Quando você compreender que a resposta a encontrar não é uma informação, e sim uma maneira de viver a própria experiência, então qualquer pessoa poderá se transformar no seu mestre. Inclusive um falso guru.

Caminhando no deserto

Nesse momento, você aprende que a caminhada é sua. Aprende também que a procura não é pelo final do caminho, e sim por uma maneira de ser ao longo do caminho. Então realmente as coisas começam a fazer sentido.

É um caminho solitário, mas, ao mesmo tempo, totalmente integrado com a Existência e, portanto, sem nenhuma solidão.

Como Cristo quando foi para o deserto e ficou quarenta dias em total solidão. Sentiu fome, sede, viu o demônio e suas tentações. Mas Cristo lhe disse que somente seguiria o seu Deus. E o demônio se foi.

Apesar de permanecer absolutamente sozinho no deserto, Cristo não estava abandonado. Tinha a força da presença divina ao seu lado.

Assim, a pessoa começa a perceber que não precisa abandonar a esposa, e sim deve deixar de tratá-la como se fosse um objeto.

Não precisa se separar do filho.

Pode continuar com sua casa e seu emprego.

O que deve mudar é a forma de se relacionar com as pessoas e de se situar no mundo.

A pessoa percebe que pode ser um Buda enquanto faz compras no shopping center. Ao mesmo tempo em que vive a situação, sabe observá-la como se fosse testemunha do fato, como um menino que, do alto de uma colina, olha os carros que passam lá embaixo. Simplesmente observa, sem se envolver nem reagir.

Começa a entender que chove porque todo o universo preparou a chuva para aquele momento, e não para estragar seu fim de semana. Sente, enfim, que nada é pessoal.

O indivíduo percebe que a agressividade que existe no mundo incomoda porque reflete a agressividade que existe dentro dele, pois quando está verdadeiramente centrado consegue sentir compaixão por aqueles que procuram resolver suas dificuldades usando violência.

Conscientiza-se de que a agitação do filho o perturba porque mostra a agitação que tem dentro de si mesmo, pois quando está centrado consegue ser paciente com o menino e ajudá-lo a direcionar sua energia.

Não reage simplesmente, consegue ver o que está acontecendo de forma abrangente, e não pessoal.

Na montanha da transcendência, a paisagem muda de tom. As adversidades da vida, por mais difíceis que pareçam, deixam de se apresentar para o indivíduo como um terrível complô do destino contra sua felicidade.

Até a perda de alguém que se ama é encarada com serenidade.

Quem caminha na estrada da espiritualidade entende que a morte é simplesmente uma passagem da vida, como sair da infância e entrar na adolescência. A pessoa evolui do material para o puramente espiritual. É a vida, que se sente limitada pelo corpo e necessita de um espaço maior.

Talvez você pense: "Tudo bem, eu entendo que para ele foi melhor, mas para mim continua sendo uma grande dor".

É interessante encarar a morte da mesma forma como a mãe se despede do filho que cresceu e quer ter a própria casa ou vai para o exterior fazer pós-graduação.

Ela se permite chorar todas as lágrimas a que tem direito. Mas também se sente feliz, pois sabe que o filho querido está assumindo outra dimensão de sua existência.

Havia um mestre muito famoso por sua bondade e sabedoria que tinha numerosos discípulos espalhados pelo mundo. Um dia morreu seu pai, um homem muito simples, e os discípulos vieram prestar-lhe as últimas homenagens.

O mestre chorava bastante, e um de seus discípulos prediletos lhe disse: "Mestre, não fica bem chorar tanto. As pessoas vão pensar que você não é um iluminado, não tem consciência da dimensão espiritual, não tem consciência de que seu pai realmente não morreu".

O mestre continuou chorando sem nada responder.

Algum tempo depois, o discípulo voltou e lhe disse: "Mestre, não chore. Você sabe, seu pai foi para um espaço de luz e amor. Pare de chorar. Seus discípulos não vão mais confiar em você".

O mestre então respondeu: "Eu sei que ele foi para um espaço de luz. Mas não é esse o motivo de minhas lágrimas. Meus olhos choram de dor por saber que não verão mais sua presença bonita. Minhas mãos choram por não poder mais tocar sua pele tão suave. Meus ouvidos choram porque não ouvirão mais sua voz amiga. Isso não tem a menor relação com o fato de saber que ele está em um espaço melhor. Eu posso entender que não é preciso chorar, mas não consigo impedir que meus olhos derramem suas lágrimas".

O pequeno e o grande

Até conseguirem sentir-se integradas ao universo, as pessoas quase sempre enfrentam duas distorções.

A primeira faz com que o indivíduo, tão logo descubra as pequenas verdades básicas, sinta-se muito poderoso e mergulhe na arrogância. Vaidoso com aquilo que conseguiu, considera-se melhor que os outros por ter vivido suas primeiras experiências.

Então o próprio caminho, acostumado que está a esse tipo de caminhante, lhe apresenta as mais intrincadas dificuldades. Chega a derrubá-lo com violência para que no meio da tormenta o arrogante se lembre da importância da humildade. Esses escorregões mostram que suas descobertas não o tornam melhor que ninguém. Indicam apenas que ele descobriu uma forma própria de existir.

A outra distorção tem efeito contrário. Faz a pessoa sentir-se muito pequena para uma caminhada tão longa. Nessa ilusão de inferioridade, a tendência é imaginar que são necessários grandes sofrimentos, disciplina férrea e rigidez monástica para atingir o conhecimento.

Será que é mesmo preciso passar por tudo isso para chegar ao topo dessa montanha?

A resposta é simples: para algumas pessoas, é indispensável. Para outras, não!

Existem pessoas que não têm nenhuma religião, nunca se preocuparam com o lado espiritual da vida e, no entanto, vivem na mais completa paz interior.

Se você perguntar a uma dessas pessoas se desenvolveu sua espiritualidade, ela dirá que não. Mas observe seus gestos precisos. Sinta a maneira amorosa com que ela abraça seu filho. Veja como se desvia muitos metros de seu caminho só para jogar um papelzinho no cesto de lixo. Perceba como é capaz de evitar uma briga com uma única palavra ou um único olhar. Capte a energia positiva a sua volta: as pessoas lhe sorriem, os objetos lhe sorriem, o sol lhe sorri.

Na verdade, ela já está em contato com o Divino — apenas não sabe disso! E ter consciência disso é um mero detalhe. O importante é que suas ações reflitam essa condição. Há muita gente que expressa seu amor a Deus sem rezar. E há várias maneiras de fazer isso. Quem respeita o próximo demonstra que ama a Deus. Quem não puxa o tapete do colega no trabalho demonstra que ama a Deus. Quem se solidariza com a dor alheia demonstra que ama a Deus. A pessoa não se ajoelha nem faz uma prece, mas sua vida já é uma prece. E Deus seguramente a escuta.

Quanto mais remota você imaginar a meta, mais distante estará dela. Na verdade, ela tem o mesmo ritmo das batidas de seu coração, o mesmo fluxo do ar que entra e sai de seus pulmões e a mesma luz que brilha em seu olhar.

Religiosos

Muitas pessoas podem pensar que padres, freiras, monges e gurus não realizam a caminhada na montanha profissional nem na montanha afetiva. É um engano.

Alguns dos religiosos mais espiritualizados têm grande capacidade de administrar uma organização e liderar um movimento. A diferença está no fato de que seu êxito não é medido por conquistas financeiras pessoais, e sim pela motivação espiritual que infundem nas pessoas.

Os religiosos de muitos credos não têm vida conjugal. Essa é uma forma de autonomia que se propõem no intuito de realizar melhor suas metas espirituais.

O fato não significa, porém, que vivam sem amor nem que um pastor evangélico, que é casado porque as leis de sua Igreja assim o permitem, seja infeliz ou deixe de cumprir suas metas espirituais.

Os bons religiosos transformam a montanha afetiva numa caminhada de amor ao próximo. No lugar do amor diferenciado do casamento, praticam o amor universal, dirigido a toda a humanidade.

É muito bonito quando alguém consegue emanar uma ternura tão profunda, dirigida a cada um que cruza seu caminho.

Quem caminha na estrada da espiritualidade entende que a morte é simplesmente uma passagem da vida, como sair da infância e entrar na adolescência. A pessoa evolui do material para o puramente espiritual. É a vida, que se sente limitada pelo corpo e necessita de um espaço maior.

À medida que escala as duas montanhas, a sua caminhada espiritual se transforma em pura luz e serve então para iluminar e servir de referência para aqueles que buscam a própria luz.

A montanha sem topo

A montanha da espiritualidade na verdade não tem topo. Não existe final nessa caminhada, não existe um objetivo nesse percurso, e sim a descoberta de uma maneira de ser, de uma maneira de estar em conexão com o Divino e, portanto, de tornar-se divino.

O prazer maior está no jeito de caminhar — com simplicidade, aceitação e amor, como aquele homem que viveu amorosamente durante toda a sua vida. Quando morreu, dirigiu-se ao Paraíso. Ao chegar lá, o sistema de controle estava com defeito e lhe disseram que seu nome não constava da lista. Deveria encaminhar-se para o Inferno.

E o Inferno, você sabe como é. Qualquer um que chega é convidado a entrar.

Alguns dias depois, Lúcifer chegou furioso às portas do Paraíso para tomar satisfações com São Pedro: "Isso que vocês estão fazendo é puro terrorismo! Nunca imaginei que fossem capazes de um golpe tão baixo!"

Sem saber o motivo de tanta raiva, São Pedro perguntou, surpreso, do que se tratava.

O demônio explicou: "Você mandou aquele sujeito para o Inferno e ele está fazendo a maior bagunça por lá. Por causa dele, está todo mundo conversando, se abraçando, uns são amorosos com os outros. Aquilo ali está virando o Paraíso!"

Para aquele homem, estar no Paraíso ou no Inferno não fazia a menor diferença.

Essa é a grande lição da montanha da transcendência: viva tão amorosamente e com tanta simplicidade que, se mesmo por engano o puserem no Inferno, qualquer que seja ele, o demônio imediatamente o mande de volta ao Paraíso.

A grande descoberta no caminho da transcendência é exatamente esta: aprender a estar com amor onde você estiver.

Sem medo do infinito

Quando lhe disserem que alguma coisa em que você acredita é impossível, tenha paciência. Talvez essas pessoas não saibam realmente que a vida é um eterno ato de transformar o impossível em realidade.

Afinal, como explicar que dois seres humanos tão imperfeitos criem um amor tão infinito?

Como alguns adolescentes que parecem tão limitados podem transformar-se em sábios e gênios?

Viver é acreditar no impossível e realizá-lo.

Antes de Santos Dumont, ninguém achava possível fazer voar um aparelho mais pesado que o ar. Mas ele acreditou nisso e, com determinação, criou o avião.

Com exceção da mudança do outro, tudo é possível — desde que alguém acredite, abandone seus preconceitos e se proponha concretizá-lo.

Todo milagre é possível — desde que encontre alguém disposto a realizá-lo.

É possível, inclusive, criar um planeta digno de todos nós vivermos.

Caro leitor, agora que chegou
ao fim deste livro, acesse o site
www.shinyashiki.com.br
e leia quatro artigos inéditos que
escrevi especialmente para você.

Agradecimentos

Minha gratidão a Rosely S. Boschini, Lucia Moreira Shinyashiki, Roberto Melo, Mauro Silveira, Anderson Cavalcante, Elvira Gago, Magy Imoberdorf, Ana Silvia e José Tadeu Ohl, Solange Till e especialmente a Claudia Bava Shinyashiki por toda a dedicação e seu carinho.

Um agradecimento eterno às pessoas da Editora Gente e do Instituto Gente, que sempre me acompanham em todos os momentos de minha carreira.

Vocês são muito especiais e me ajudam a colocar as pedras no topo da montanha com muito carinho!

Contatos com o autor:

roberto@institutogente.com.br

www.shinyashiki.com.br

Bibliografia

A idéia inicial do livro – e mais especificamente a parte "Miragens à vista" – foi baseada no artigo de T. Khaler e H. Capers, "miniscript", publicado no *Transaction Analysis Journal* (Trans. Pubs., ITAA, San Francisco, Califórnia, 1971-1976).

A idéia de vencedores e perdedores foi desenvolvida por Eric Berne no livro *What Do You Say After You Say Hello?* (Bantam Books).

As idéias da montanha espiritual foram baseadas nos livros de Osho.

A quem desejar aprofundar-se nos temas deste livro, recomendo:

BERNE, Eric. *Análise Transacional em Psicoterapia.* São Paulo: Summus, 1985.

BONO, Edward de. *Novas Estratégias de Pensamentos.* São Paulo: Nobel, 2000.

COVEY, Stephen. *Os Sete Hábitos das Pessoas Altamente Eficazes.* São Paulo: Best Seller, 2001.

OSHO. *Dinheiro, Trabalho, Espiritualidade.* São Paulo: Gente, ______2005.

. *Vida, Amor e Riso.* São Paulo: Gente, 2004.

KRISHNANANDA. *O Amor Não É um Jogo de Criança.* São Paulo: Gente, 2003.

SMITH, Hyrum W. *O Que Mais Importa: O Poder de Viver Seus Valores.* São Paulo: Best Seller, 2003.

SOUZA, César. *Você É do Tamanho de Seus Sonhos.* São Paulo: Gente, 2003.